原視紀行

地相と浄土と女たち

石山修武
ISHIYAMA Osamu

写真▼中里和人
NAKAZATO Katsuhito

コトニ社

目次

主な撮影地

岩手県平泉町
新潟県十日町市
新潟県糸魚川市
福島県いわき市
千葉県御宿町
千葉県富津市
東京都大島町
三重県伊勢市
三重県志摩市
三重県多気町
三重県熊野市
三重県紀宝町

はじめに

三つの小さな旅の記録であるが、風景は皆大きい。

一、フォッサマグナ、糸魚川、日本海沿岸の旅。
二、奥州平泉、そしていわき市白水の浄土庭園の旅。
三、伊勢松阪を巡る旅。

一は列島における大地溝帯とシャーマニズム探訪を目的とした。民俗学者宮本常一が示唆するように列島文化の前近代は西日本と東北（東）日本は人々の会合の性格が異なるようだ。その異なり方が地形が作る風景と関連するのではないか。そして古代シャーマンが生み出されたのは、断層からの鉱物の装飾性に助けられたかの考えが生まれた。

二は奥州平泉の列島最大級の浄土式庭園が藤原氏一族の女性たちの感性と構想力の産物であろうを、探ろうとした。日本列島文化の最美人工物の一つである宇治平等院鳳凰堂の建築も又、その庭園の池に写し出された姿が結晶であるが、その鏡面としての池の姿は、むしろ平泉の浄土式庭園大池が、より優美であると考えた。文化がむしろ中心らしきから遠い処に結晶するの可能性を考えた。

三は列島文化の象徴でもあろう天皇の社である伊勢大社を、大社周縁から考えようと試みた。大社造りの建築様式には直接触れていない。むしろ大社を囲む森、川を巡るささいな人工物の風景を考える手段とした。

以上の三つの旅は専門分野が異なる三名でした。建築畑、写真畑、美術畑の住人である。本は言説により成るが普通だが、それぞれはそれぞれに越境者の性格が在り、時に言説は写真術の力を借りねば、自ずからなる限界が在るも知るので、写真家の強いアニマの伝達力は欠かせず、むしろ言外を表現する力として共有する事とした。

写真と言説の境界線をも、旅していただければ幸いだ。又、その事を意識して本として編集された。作者と編集者との境界線をも楽しまれたい。

本の製作はコロナ禍の内でなした。更に続けるを強く望んではいるが、先は五里霧中である。

はじめに、はあっても、あとがきが無いのはそれ故である。

境界線が強く、時に障壁として現れるが国境である。

この本の内の形式としても国境を越えねばならぬが努力したい。

さて、第一章のフォッサマグナとシャーマンの誕生について述べる前に、いささかの前触れをどうしても置かねばならない。フォッサマグナの日本海側糸魚川エリアの古代座女奴奈川姫はシャーマンの一人である。シャーマンの存在が今（二〇二二年）にも続いていようが、わたくしの小論の骨子でもある。シャーマニズムは変型、変種を重ねて、今では諸々の芸術、しかも良質なそれに継承されている。そう考えるので、一章の冒頭に若干を加えた。

旅は古きを訪ねるが極上である。

先を視すぎたのが列島近代の、すでに過去であり歴史である。

ピカピカ、ツルツルの新品だらけの都市には皆が辟易し始めていよう。

新品だらけより、古びた中古品、古物が在った方が健全である。健全とは程々の長命を目指すことだ。けれども、人間は程々であって良いが、旅の行先は古ければ古い程に良いのである。

行先にはモノがあるだろう。出来れば古代を超えて、原始にまで辿り着きたいが、これは実に困難な旅になってしまう。あまりの困難は剣呑である。

それで本書はガイドブックたらんとした。案内しようとした場所は新日本列島三景であり、歴史も地質学、女性史、日本古代シャーマンまでの三点セットなので、そう読んで下されば良い。

石山修武

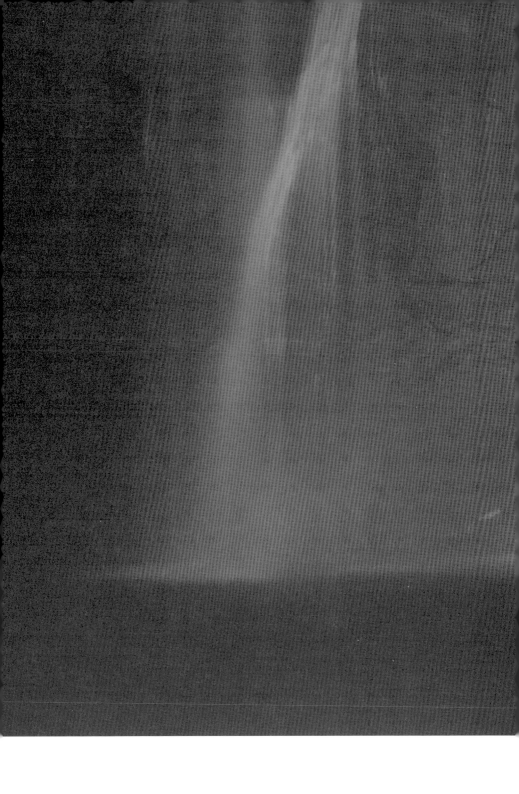

1日目

筒石の船小屋 ➡ フォッサマグナミュージアム

2日目

フォッサマグナミュージアム ➡ 親不知手前の歌地区の河口
➡ 勝山城跡登山口付近の浜辺 ➡ 青海の寺地遺跡公園
➡ 能生白山神社 ➡ 姫川 ➡ 姫川温泉

3日目

フォッサマグナミュージアム ➡ フォッサマグナパーク
➡ 糸魚川駅付近古道具屋

第一章

三大日本奇景は大仰だが、もっと大きい景色について

本題に入る前に、巨大な誤りとしか考えられぬ計画と、小さいけれど軸を持つ私の試みの対比について。

一、リニアモーター特急計画地図。

二、伊良湖崎、日本海ライン計画。

三、ある小展示会作品レイアウトとオリエンテーション。

三つの計画はその大小にかかわらず、地図として現れれば同一であり、同時に断絶であり、現実でもある。距離が問題とされていたし、すでに物体として示されているから質量の動きとして表明されている。二と三は私の個人の手になるが、これも又、案内図である。

リニアモーター特急計画地図

リニアモーター新新幹線の実験場をかねたラインが山梨県に設置されている。富士山麓でもあり、その地上部分は橋となり中央高速道路の支線とクロスしている。実験場のレールが将来実用に供されるようである。

決して短くは無い新新幹線事業の始まりが、山梨県に設置されたのは、山梨県が土木王国でもあるからだ。今は昔の金丸信氏の選挙地盤であった。それ故に山梨県下の道路の舗装率は極めて高い。山奥の林道、田園の農道は異常に整備され尽くしている。

想像するに新新幹線計画の原像と呼ぶべきはアメリカ合衆国のルーズベルト大統領によるニューディール政策であり、とりわけＴＷＡテネシー河再開発の総合性にあったろう。都市計画家と呼ぶに価するは日本列島下では高等官僚の手にしかあり得ず、他では全く無い。政治家は追認し、その計画によって発生する利益を再配分するマネージャーだ。

三全総、四全総と呼ぶ国土計画はそのインフラストラクチャーである。国家による公の計画だ。しかもリニアモーター新新幹線計画は巨大なファンタジーだ。

地殻変動自体が地球の内発的な要因からか、月や太陽、さらには宇宙の万有引力、つまり外との諸関係から発動するかは、究明されていない。神秘である。科学者の脳内自発の方向と物理学、数学者のベクトルは、コレも又、神秘である。そして神秘は得てして恐い（核開発の現実は科学者によってなされた）。

現在すでに在る山梨県のリニアモーター新新幹線実験ラインは中央高速道路支線の上空を走っている。南アルプス方向はすぐにトンネルである。計画の全体像がほぼ計画図として示されるようになった。驚くべきは、私も度々、その下を走り抜けた橋の部分を含めた小部分、つまり地中を走らずに、ほぼ地上を走る部分が、どうやら二カ所しか見当たらぬことである。

つまり新新幹線リニア特急は、ほぼトンネルのパイプ状を走るとは聞かされてはいたが、第一次計画の東京・品川駅と名古屋を結ぶゆったりとした河の流れのごとくの曲線連続ラインの地上部分は二カ所しか無く、その一カ所が、現山梨県の実験的ライン部であり、それは全体からすれば一小断片にしか過ぎぬ。

山梨県下の実験ラインは知られる如くに、すでに少なからずの見学者を迎え入れている。外国要人も含まれるから近未来の、コレハ日本産業のショールームでもある。ズーッと地中を走るのでは大型商品としての価値も下がると判断されたのであろう。

物見高い、好奇心丸出し集団でもある列島住民でさえ、地中を一時間も走る列車には唖然とするであろう。

名古屋新国際空港とアラブ首長国連邦ドバイを結ぶ飛行機に搭乗した事がある。機体はピカピカの新調品であった。機体内は多くの発光体が散りばめられ、銀河鉄道の夜のアラブ的金満即物であった。

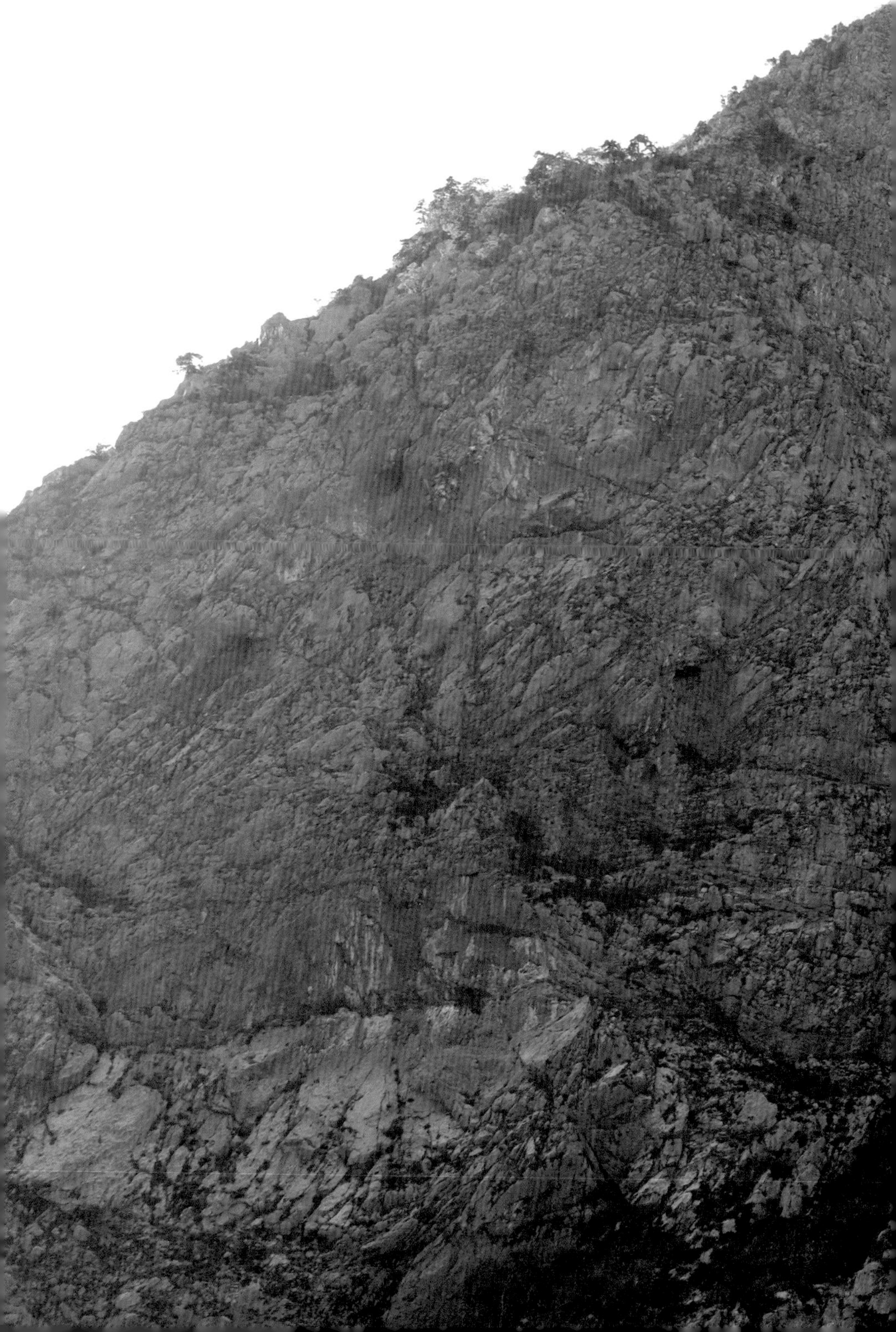

コレも又、小ファンタジーである。

アラブの油と自動車王国でもある名古屋は解りやすい経済のパイプで結ばれていた。しかし今（二〇二二年）、アラブの油と自動車産業とは時限付の結び付き方でしかない。自動車の排気ガスが地球環境に及ぼす陰画像は世界共通の像となっている。世界の産業構造は短期間で一変するであろう。少なくとも第一次計画の中継地点としての名古屋の地理的意味は減少する筈だ。世界の産業構造の変転の歴史はよくその近未来を示している。

広大な表面積と人口を所有する中国、ロシア、インド地域が交易の対象にならざるを得ぬ。列島の西端九州地域は船舶による交易路として、東アジア、ユーラシア大陸に一番近い。リニア新新幹線は中途半端に関西と結ぶのではなく九州まで延ばすが、合理と考えられるが、交易によって生きる国家としての前提があればこそだが、その前提も又ファンタジーであるやも知れぬ。

時間と空間の現実から考えても、この計画はファンタジーであるのが視えてくる。九州まで延長すると、飛行機の飛行時間とそれ程の違いが無い。利用客はそれ程多くを見込めぬ理由は、今でも歴然としている。

トンネル、あるいはパイプ状内を走る浮遊体とトンネルを必要とせぬ飛行体とでは装置としての建設の全体費用がまるでちがう。要するに新新幹線は旧満州帝国を構想した高等官僚達の、今再びのファンタジーであろう。何処にも利便が見当らぬ。利便あっての技術なのに。

山梨県リニアモーター実験場（ショールーム）周辺にはすでに電子産業の研究所他が集積している。UFOまがいの姿をまとうモノもあり、明らかにこれらの造形は電磁浮遊体を模そうとしていて滑稽極まる。日本的ファンタジーはかくなる造形物としても露出する。

新新幹線計画は見事にフォッサマグナ地帯を横ぎる。大土木工事ラインが大地溝帯と交差する。巨大な計画はその計画の巨大なスケール自体が内在させるファンタジーが在る。ファンタジーは巨大娯楽（今はエンターテインメントと呼ぶ）製品であるが、この計画には娯楽一切が無い。

旧満州帝国、大東亜共栄圏のファンタジーと同じであり、さらに近々では近い将来の大阪万博、無観客で終了した東京オリンピック等々である。両者は同じである。

伊良湖岬、日本海極私ライン計画

若年時の、無我夢中での作品群をようやく遠くから眺め得るようになった。あの頃の活動で唯一良かったのは損得を考えずに、やって仕舞ったことであり、更に少しばかり持続させたことに在る。後期高齢者となり、再びそんな内外の気配に包まれている。俗に呼ぶところの働き盛りの壮年期とは何者であったかと、憮然とする。壮年期は地質学的視野からは、日本列島で東北地方山地を呼ぶようである。地質学とはこれも又、視えぬ大地内の暗黒を仮説、あるいは仮想するにしての占星術に似る。視える地表の表面とは極薄の地殻部であり、この部分を近代画家たちは風景画として描いてきた。

私の壮年期はほぼ俗に呼ぶ建築家として過した。若年期と後期高齢期はどうやら無職としてここに在る。

芸術の近代はその全体が細分化もされているから、ここでは「絵描き」と呼ぶ。日本列島の近代画家の全ては風景画を描く事から画業を始めた。そこに在る大小を問わず物体をも描いた。日本列島に独特な文芸に俳句がある（金子兜太は定型短詩と呼ぼうとした）。俳句の特色は季語をルールとしたことである。季語は暦であり、要するに風景の移り変りを切断し、私的に表現するに同じだ。鶴見俊輔の『限界芸術論』の指摘にあるように、日本列島では極めて多くの愛好者を持ち、その数は神社、小祠の総数をはるかに凌駕する。和歌詠みの数がそれよりもグキリと少ない。このグキリが重要であるがいずれ書きたい（天皇制に関連するのである種の覚悟を要する）。

グキリは日本列島の平面型の本州部。フォッサマグナ近接部の平面図（鳥観図）を表わすに良いが、これは残念ながら、地質学者の表現のマネである。本州の平面図をグキリの一言で表現するは季語なしの、あるいは太古からの長大な地殻変動を表現する擬音であり俳句における季語を、くるみ込み、巨大であるのが面白い。長江、黄河、メコン河の空からの様子をグキリとは呼べぬところが、列島の何を象徴するかは俳句の質により異なる。あるいは定型短詩の限界でもある。その限界は余韻を暗示する曖昧さである。近代俳人達は少なからず、言葉の限界を補うに装飾としての俳画を文字に添えた。その混在、あるいは折衷様式は興味深い。

私のフォッサマグナ計画は、糸魚川富士川の帯状近く、伊良湖岬から北上して日本海側に辿り着かせようと、幾つかの極小建築群をポツリポツリと連鎖させて地図上に描けないかの一本のラインを想定するものだった。

ドラムカンの家として一部に有名な川合健二自邸間近の伊良湖半島田原に鉄パイプを切断状の物体番号5を置き、「望遠鏡」と命名した。7「幻庵」を三河に、間近に10の「花祭り」計画。4愛知県長野県境に「治部坂キャビン」。8は長野県菅平高原の「開拓者の家」であった。もう一つ、二つでも日本海側の何処かに計画、さらには実現すれば面白かったのにと悔やむが、続けていたら、金にもならず、行き倒れていたと、今は知る。面白い考えは金にならぬのである。

ラインとして地図上に連鎖させようと思い付いたのは、いずれの計画も鉄パイプ（コルゲート・パイプ）を切断する形状を持つ物体の姿をしていたからだ。トンネルである。切断面に唯一の意匠が残された。工業化の恩恵を人間向けに小割りに切断、切断面の開口部入口、出口に意匠を集約させた。考えようでは長いパイプ状の切断は、人体の、口の入口から肛門の排泄口に酷似して、人間の身体も又、その生のエネルギーの素の食料の内部流通による燃焼は一本のパイプ内であり、入れる排泄するの両端機能を持つだけの連続体ではある。

屁は尻の開口部から制御不能状に噴出するガス状であるが、エネルギー保存の法則を人体に適用すれば、音楽と呼ぶ芸術らしきは、耳管を介して吸収した音群を、コンデンスとして楽器を介し、あるいは音声を介して排泄している諸様式と言えるやも知れぬ。無理強いて倣えば、絵画表現も又、眼球による記憶のガス（屁）状を物質（絵具やら）を介して塗りたくっているモノであろう。

あらゆる近代芸術は記憶の細分化、排泄行為に通じようか？　コロナウイルス事変中の実感であり、占星術の体系化を図ったギリシャのプトレマイオスの考えに似る。

「5」と番号を与えた伊良湖岬のパイプに望遠鏡の名を与えたのは間違っていなかった。フォッサマグナのラインと同じに、直線には程遠いが地形と同様な曲線状で、しかも微小極まる小直線断片の点で結び付けるしか無かった。筒状はトンネルであり、望遠鏡の基本形である。有名なロートレアモンのマルドロールの歌の一節「解剖台の上のミシンとこうもり傘の偶然の出会い」は一八六八年に書かれたモノをシュルレアリストによって発見された。謂わば読み直しによる。六〇年弱の時差がある。全てではないがシュルレアリスムを象徴し得る言葉となった。詩の断片の切り取りが新しい生命を吹き込んだのであった。この視覚的世界に置換されたイマージュ（映像）は二〇一一年のアメリカ、ニューヨークでの大型ジェット旅客機と超高層ビルの出会い（衝突）によって、芸術運動の波及のスピードの遅さ極まるとは別のスピードで全世界に同時実況放送された。

この時をもって、芸術運動、ひいては芸術の大義（意味）は終った。私のフォッサマグナ計画も意味が消えた。消えたからここに記録したい。

ある小展示会場レイアウト図録

二〇二一年春の私の展示会のレイアウト計画について述べたい。個別の作品について述べたいので

は無い。あくまで作品の配置計画について。何故ならば小さい展示のレイアウトも考えようでは風景造りだからである。場所は東京銀座、画廊（ギャラリー）の密集地帯である。その高密度にも芸術らしきの本性が透視できようが、ここでは論外である。

ギャラリーは、大きくもなく小さくも無い。立体・彫刻の展示を実行してきた歴史を持つ。

私の制作能力量には丁度適っている。展示物は木彫を主とする小立体群と金属板印刻銘板の二種。加えるに小スケッチ群であった。二週間の会期中途でレイアウトを変えた。画廊主は彫刻作品の目利きであり、芸術作品売買のプロフェッショナルである。当初の、特に木彫群のレイアウトは画廊主に委ねた。プロフェッショナルを尊んだのである。一週間程経過し、明日の休日は写真家の撮影の予定だった。ここでレイアウトをガラリと変えた。何故ならば二週間の展示期間は、私にとっては余りにも短い。銀座の伝統あるギャラリーは、勿論一人の作家に長期を明け渡すわけにはゆかぬ。採算上のリスクが大きいからだ。有力なギャラリーの表立った展示会での販売量と、展示されずの影での取引量との比率は知ることが出来ぬ。

当初のレイアウトは良く、ギャラリー主人の経験が表現されて、自然な流れの上に成されたモノだった。

私の展示の眼目（焦点）はヒマラヤ山脈下の計画にあった。ヒマラヤ内院ツクチェでの計画一点にあった。勿論、小彫刻群は売りたいし、売れてもらいたい。それも又、私の内の現実である。しかし私の内の大矛盾は遠いヒマラヤに向っていた。それ故にこそ、この内なる断層を示しておきたかった。又、その為には写真メディアがより適しているとの考えもあった。ギャラリーの紅い木彫群はほぼ一直線に、一方の壁にセットしたヒマラヤでの計画スケッチ一点に直線状に並べ直した。

今の私の年齢からすれば、ヒマラヤ内院での計画は無謀極まる。勿論、実現するを旨としている。客観的観察がシュルレアリスムの眼目の一つであったが、この一点のスケッチは、時間に於いても実空間内に於いてもその枠外である。それは自覚している。

全ての地図はオリエンテーション印を持つ。又、全ての建築計画も然りである。オリエンテーション印は北を示すが普遍である。どんな小住宅の計画に於いても同様だ。

しかし、現実には北のオリエンテーションは広い土地に計画が成されぬ限りは無意味であり、価値も無い。現実の計画案はNのオリエンテーションは飾りでしか無い。誰が銀座通りの表も裏も方角と密接な関係を持つと考えるであろうか。

奈良、京都にはかすかにオリエンテーションが存在する。共に中国古代都市をモデルにした格子状の都市計画に原型を求めたからだ。往時の長安（現在の西安）はシティウォールに囲まれた内は確固たる格子状（グリッド）の基準を持つ。天子は南面するの皇帝観念が上位に在り、他の細部はそれの附属物であった。「月天心貧しき町を通りけり」の詩句の貧しき街も又、格子状システムの内であった。皇帝は南に対面して座し、その方向が都市の基準であった。

日本近世に於いては将軍の居住する軍事施設でもあった「城」が都市の中心に据えられた。その代表が江戸城を中心とする求心型の都市計画となった。江戸城の平面図は求心の変形である渦巻き型であったが、これは求心型の単純明快さが防御に不利であるとの判断に、少しばかりの方位の道学が混入したものである。

日本列島各地の近世都市は「城」を中心とする城下町の形態をとる。

中心の城は屋根飾りに巨大な魚をのせ、神社に酷似したコスモロジーの反映でもあった。

軍事に関するコスモロジーは古代ギリシャ以来の占星術への関心でもあり、日本近代迄続いたのである。城の内外の装飾は全て軍事の予測不能への不安の現れであり、極度の道学、天地火水風土への神秘主義の反映にならざるを得なかった。

空飛ぶ兵器の発達が城郭を無意味なモノとした。空中のアナーキーさが都市の意味を変えたと視る

ことができる。

すなわち近代の混濁であり、無方向性である。人々はその想像力に於いてさえ、どの方向に向いてのモノであるかに無関心となった。

オリエンテーション、軸はそれ故にこそ重要である。ましてやアートの枠内住民である芸術家にとってこそと考えた。

勾玉の造形

奈良県正倉院収蔵物の多彩大量は神秘である。その神秘は国家としての形式が整い始めた古墳時代からの産品と、同時に列島各地域及びシルクロードを仲介とした西域ペルシャ地方までの産品が収集されている。

国産品と外来品とに分類する事も出来ようが、その分類は即物的に何処で、どの場所で作られたかの考えに過ぎぬ。何処で何人によって考案されたかの考えが入らないママだ。それ故造形の素、あるいは素地を考えたい。

正倉院の様式、すなわち機能は倉庫である。しかも列島古代に於いての収蔵物庫としては異常に巨大である。

大仏殿の巨大さを視る前に正倉院の巨大さを視たい。

何故ならば、その視点（線）方向は現代に通じるからである。

今（二〇二一年）の列島は消費社会、それも桁外れの消費物を必要不可欠とせざるを得ぬ大量消費社会であり、世界である。コロナ事変がその根本原理を露出したと考えられる。

消費が生産を支えざるを得ないが消費社会の根本である。産業構造は時代と共に在り、大変化もする。ＩＴ産業のＢＩＧ４と呼ぶは、すでに中小国の国家予算を超える事業規模を有する。そして巨大ＩＴ産業の実体＝核は倉庫なのだ。途方もなく巨大な倉庫が、内に無人化、ロボット化装置の構造を持ちながら現実としてある。

列島古代文化は直接には弥生時代の米作を中心とする農耕文化が用意した。しかしその農耕文化には色濃く縄文時代と呼ぶ漁労狩猟文化が混成されていた。時代と呼ぶ巨大は一つの文化反映から、デジタルに変化するのではない。

フォッサマグナの地殻変動の如くに、それ程の巨大な時間は持たぬが、それにしても、ゆっくりゆっくりと極微な変化を重ねる。

列島に於ける東西文化の相違と共通に似る。又、それは先住民文化と渡来人文化の混濁の歴史でもある。

フォッサマグナの地下世界は糸魚川市姫川地域に多く採取されるヒスイに表象されよう。

勾玉の古代に於ける価値は、それが天皇家の三種の神器として選ばれた事に通ずる。

淡い外光を写し続ける表面を鏡面として持つ。天皇家が古代シャーマンの始りを持つであろうことは間違いない。少なくとも、その能力らしきが群立する諸勢力の内から大王を生んだのである。武力だけの勢力が今に至るまでの天皇、及び制度、幻想を長続きさせ得る筈もない。

三種の神器、鏡、剣、勾玉（曲玉）はいずれも形態よりも、その極度の反射光によって存在するのが重要である。

技術としての研磨技術が共通する。鏡はそれを解りやすく象徴し、剣も又、武力の象徴であるよりも、むしろ、その表面の光、研磨による光沢に、古代人は神秘を視たであろう。

勾玉が三種神器中、唯一の鉱物であり、加工品である。これも鏡、剣と比較すれば物質を研磨する事で得られる光の反射光でもある。なめらかに、磨かれた精妙さが、求められた。

求めたのはシャーマンの存在の装飾の不可欠であった。シャーマンは呪力、占力の持主でなければならなかった。縄文時代の漁労採取、狩猟文化において、それは重要であった。何処に何時採取すべき食料他が在るか？　そして獲物が生息するかは、それを知るは神秘でもあり、生きるに必定であった。獲物の習性を知る（植物のそれを含む）は経験によって得られもするが。それと同時にその日、その時の動物達の動向に対する不確定を知った上での、ある種の決断能力が、多く獲物を取る人、取れぬ人の違いをも生み出した。

三大日本奇景は大仰だが、もっと大きい景色について

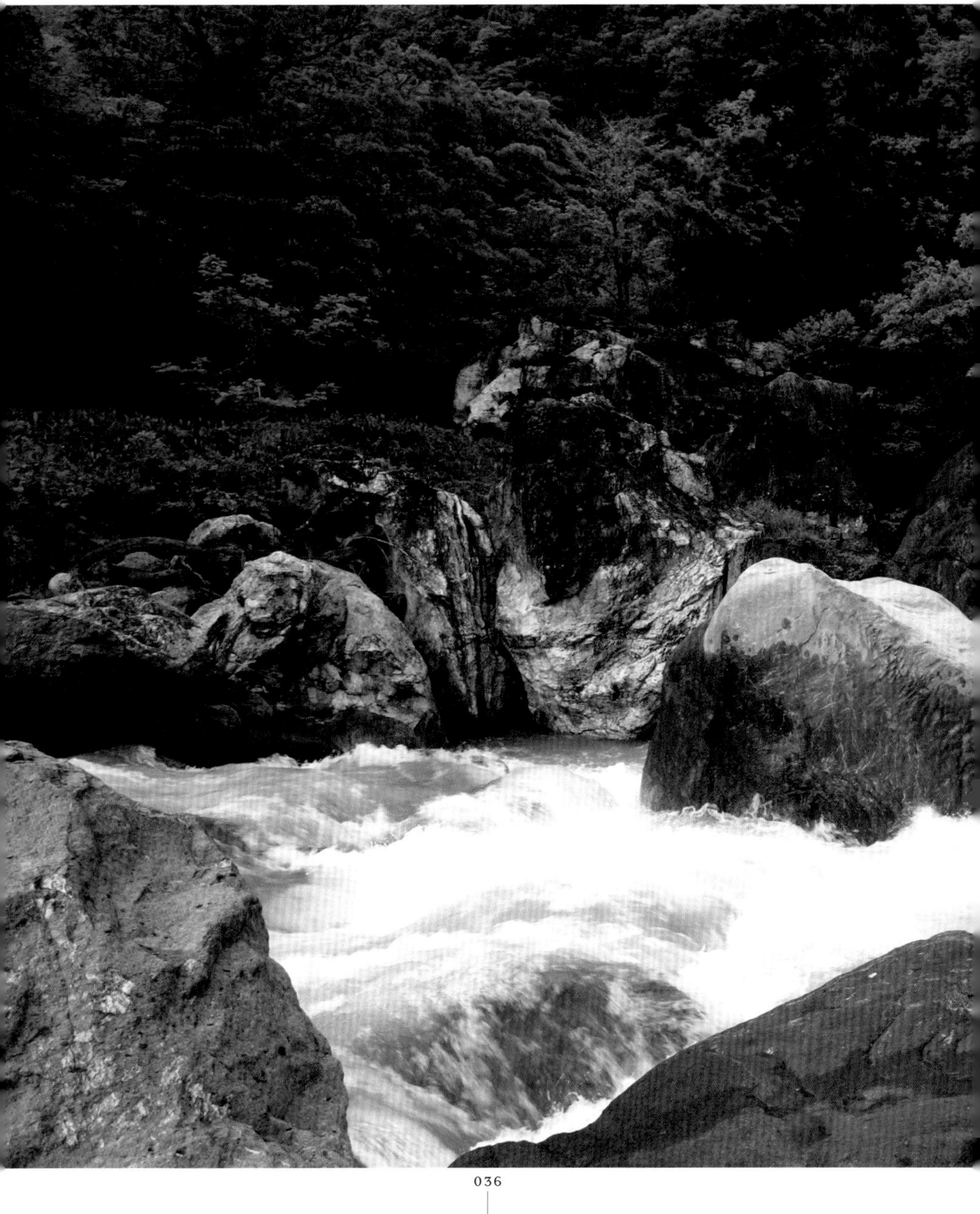

例え小集団で行動したにせよ、小集団には連続した決断、意思決定が要求されよう事は想像するに容易である。

決断は神秘に満ちていた。採取する人、狩りをする人は、その少なからずが皆、シャーマンであらざるを得なかったのである。

勾玉と大正天皇の望遠鏡

公表された正倉院の収蔵品中、玉石類を視るに、水晶玉が三百数十個、曲玉（勾玉）は三〇〇個近くが在る。これを幾何学志向の造形と、有機的形態への造形と呼び換えてみる。

更にその分類の呼び方を、今に通じやすい合理精神と非合理の二分法に整理してみる。非合理の呼び方により積極的能動としてのニュアンスを与えるべきだろうが、それでは陳腐なる神秘主義の通俗に帰納されやすいが、一元に還元するを目的としての便宜的方法である。

正倉院は日本古代建築を代表する建築である。東大寺大仏殿創建時の建築が失われたので、日本古代現存物としては稀なる貴重な文化財である。繰り返すが大倉庫である。内に収蔵された物品は同じように重要である。その物品を、特にその造形を介して古代大王が天皇に変質する本質の如きモノを考えられるからだ。

総計六百数十個程の玉石類に焦点を与える。天皇以前の大王がシャーマンの生きる形式を持ったことは確かである。

日本近代の歴代天皇の中で大正天皇の奇行は特に人口に膾炙された。日本よりも、むしろ外国にはより広く知らされてもいた。

大正天皇が議会開催の招集書状を筒状に丸めて、望遠鏡として遠くを眺めたのは、今も国民はいざ知らず、外国人にも知られているのは繰り返す迄も無い。

大正天皇の紙筒レンズなしの望遠鏡は何を視ようとしたのか？　その眼からすれば愚物群に過ぎなかったであろう国会議員の生態を覗こうとしたか？　そうではあるまい。

あの振舞いはシャーマンのそれであった。近世ヨーロッパに於いて流布した占星術、錬金術は科学合理の秘める神秘への接近でもあった。

電波望遠鏡が何のために巨大なスケールで建設されるかは、我々は良くは知らずの現実もある。

ハワイ先住民の聖地である休火山山頂近くに旧来の巨大レンズを備えた大望遠鏡は集中して在る。

ここにも先住民の世界に共通する聖地のシャーマニズムの反映が強く在る。

大正天皇の奇行とされるは、誤りである。アレは天皇の始原の姿を無意識の中に、忘我の多くの他者を意識せざる一瞬が訪れ、極く自然に演技されたのである。

あの時の大正天皇の脳内は議会場の比較的大空間がブレのニュートン記念館の大ドームに似た風景であったろう。あるいはシャーマンとしての原祖を深く知ったが故の演技、振舞いであったと考えたい。他者の脳内は今も、恐らく未来も覗けぬであろうから。

大正天皇の紙筒望遠鏡がどちらの方向へ向けられたのか、あるいはグルリと回転したのかを知ろうとするは無意味である。

天皇はその血統の歴史の内に鏡を覗き、そして観せたのである。

大正天皇の、「遠眼鏡」事件としてすでに多くが知るを、根も葉もない流言蜚語の類であるの謂も在る。

しかし天皇を巡る流言蜚語は近代の情報過多の特質であるとも言い切れぬ。古代近くにも在った。恐らくは「正倉院」の発注者でもあったろう光明皇后は別として、歴代女帝にまつわる物語りは少なくはない。持統女帝と僧道鏡を巡るスキャンダルまがいも、そうであった。この類の流言は実に天皇

周辺の今にも通底するのである。持統天皇にまつわる流言蜚語は赤裸々で隠微でもある性にまつわるモノでもあったが、たかだか千数百年の年月を経て、天皇史としても直近の大正天皇の紙筒（議会開会勅令の紙）望遠鏡事件は、著しくシュルレアリスム的様相を呈している。これは流言蜚語の荷い手である庶民大衆のモノではあり得ぬモノで、特異だ。それ故にリアルなのである。

シャーマンの力の必需品「装飾物」

糸魚川市周辺地帯の特異な産物であるヒスイの勾玉はフォッサマグナの地殻変動により産み出されたものを縄文人が加工した一種の宝玉である。地殻運動の大と人間の営みとが一瞬とも呼べよう古代に於いて奇跡的に結びつきモノとして作り出された。

勾玉の鉱物としての種別は翡翠《ヒスイ》、碧玉、瑪瑙等多種ある。現在も地域の特産として各種が作られ販売されている。

特にヒスイはフォッサマグナ、姫川流域に特異なモノである。アジア地域ではヒスイはほかにミャンマーで採取される。その巨大な原石は台湾台中の媽祖廟展示室で視ることができる。媽祖神への奉納品である。

近年の諸研究はヒスイの勾玉の主なる産地が姫川青海川中流域、及び日本海岸であるのを明らかにしてもいる。しかし、コレは世界共通の地元への偏愛からでもあり、勾玉の造形一般に関わるものではない。ヒスイの勾玉と限定すべきであろう。

又、古代縄文遺跡の勾玉小工房群の複数所在は、その集落規模のスケールから推して日本全地域への勾玉文化蔓延の一大拠点であるとは考えにくい。

青森県三内丸山遺跡の発見、復元作業は古代縄文文化の中心（センター）が糸魚川エリアよりも、むしろ北へと偏心したものであるのを知らせていよう。考古学の進展は目覚ましいから、未来に生まれよう発見も充分に予測される。

ただしヒスイの勾玉に代表される極めて独特な文化が糸魚川周辺、特に日本海岸間近に在った事は事実である。

今でも河口近くの日本海海岸には長い竹竿の先に小さな小網状をくくりつけ、ヒスイ採取の人の姿を視ることが出来る。少人数ではあるが彼等の姿は、縄文の昔と涯しなく近似する。昔もこの様な縄文人の姿があったのである。採取専門職があったとは考えにくいから、彼らは広く採取生活の一端として海辺でのヒスイ採取に時間を割いていたのであろう。

今もヒスイ採取の観光客の姿は決して少なくは無い。彼等の姿も又、昔日の縄文人の姿と近くて、そして遠いのである。

寄せては返す波の力は巨大である。縄文人たちはシャーマンの力により大潮引潮の暦を託宣されたであろう。引潮の大なる時は最大のヒスイ採取のチャンスであったから、その短い時間は採取者たちの又と無い時でもあった。

砂浜で採取されたヒスイの小片は、それぞれの海に近い集落に持ち帰られた。大がかりな鉱山穴の遺跡もあるが、やはり海、あるいは波の繰り返しが、ヒスイ採取の主現場であったろうと想像させるのである。打ち寄せられる波の力で良く摩耗された岩の、小石の表面はなめらかに磨かれた岩石の表面の神秘を人々に教示した。

ヒスイ採取とヒスイ研磨とは別系でなされた。そして、ヒスイ研磨技術は列島東北、北海道地域に分布することになった。が、ヒスイを造形物として視るの小結論である。

ヒスイは宝玉の一種である。宝玉は現代に於いても女性を中心として装身具として好まれる。ダイヤモンドはアフリカ等が原石の産地であるが、その加工技術は世界に拡散している。そして加工技術（カット、研磨を含むデザイン）によって価格も大いに異なる。今も連綿と在り続ける、そして複雑に世界各地に分散している王族・貴族たちの各種礼式儀式には宝石は必需品である。芸能人達の装飾品としても使用される。今では男性有名スポーツ選手までもが鼻飾りはともかく、耳飾りを良くつける。

糸魚川地域の姫川流域に、その生地他は特定できぬが奴奈川姫と呼ばれるシャーマンが存在していた。卑弥呼の存在とその活動様式は日本古代史の最大級の謎であり、ファンタジーでもタブーでもある。天皇の意味を浮き彫りにするだろうからだ。

奴奈川姫の神像を祀る神社も存在し、彫像も在るから、シャーマンの、特に装身具を考えるに役立つ。古代シャーマンがどのような立居振舞いをし、何を考えようとして、演技していたのかを知るには、その装身具を介して探求するが近道である。

ヒスイは漢字に置き換えると翡翠であり、書くに苦労する文字となる。カワセミの近類で、神秘の

代表でもあり続ける空飛ぶ生物の、しかも極彩色のうたかた、ファンタジーの現物現存である。けれど縄文時代の古代人がどんな発音で呼んでいたのかも、誰も知らないのである。すでに不可知であり神秘である。奴奈川姫はヒスイ勾玉を身につけたであろう。何故ならシャーマンの力の表現、演技として理にかなうからだ。

身近な採取生活で手に入りやすく、しかも各種宝石類で研磨するは特殊でもある技術を要するのである。

誰でも手に入れられる類似品が、ある程度の量をもって存在しなければ、人々はそれをシャーマンと同じように手に入れることはできない。そして身につける事もできない。

多くの人々が装身具としてヒスイは身につけやすかった。何故なら海辺で、誰でも拾えたからである。大地に穴を掘り下げるの労力も必要なかった。人々は女性を中心にしたであろうが（今でもワカメ、テングサ採取は女性中心である）、海辺で日々の食材を得るために採取生活を繰り返した。その繰り返しは実に膨大な時間の中で成された。近代の時間と比較すれば神秘としか呼びようが無い長大さの内である。

採取狩猟生活のうちで男女の性の混濁は次第に夫婦間の家族群に近いモノを形成した。赤子を抱いて海辺の採取生活は比較的に容易であったろうから、やはり女性が多く採取にたずさわったにちがいない。多くを採取した。なかに時にヒスイ原石状があったのである。すでに波の力で長大な時間の繰り返しで荒く原始の力で研磨された宝玉（原石）が在った。

女性の少なからずは手にした石を持ち帰ったろう。原始住居へ。

今に続く、イタコの原像である。第二章で述べるがイタコは自分が出会い採取した小石を、自分だけの秘密の場所に秘匿した。木の股であったりのようだ。やがて帯の重なりの内に隠したりとなり、シャーマンにちかくのあらぬ事を言う如くとなり、それを周囲が知るようになる。イタコは数年を経ると普通の生活者にもどったと言われる。

短期のシャーマンの時を過ごしたのである。東北地方北端地域での出来事であった。青森県外ヶ浜は中世前期までアイヌ、更にはカラフト、オホーツク文化民族との交流の中心地であったとされる。イタコも糸魚川地域の奴奈川姫も、アイヌ民族の影が強い。日本先住民族であるアイヌと渡来人ヤマト民族の混血も又、地質学的な長さとは比較にならぬが、今の時間（近代の）とは桁外れの長さ冗長さ、涯しない繰り返しの日々の内でなされた。

しかしながら考古学の進展は着実で急である。いずれ近未来に新遺物遺跡が発見発掘さるは必須であるから、愚者の予見は差し控えるが理でもある。アイヌとイタコ、シャーマンの連関は今は待とう。

糸魚川（アイヌ語源とも言われる）の海岸採取の女たちの日々の生活の繰り返しかた、やがてヒスイ原石を持つだけでなく（秘匿も含むが、それは個々人のタブーに属する祈りや、物忌みに通じよう）原石に孔を開ける迄になった。孔を開けるは、ヒモを通して連結するにはすぐである。時間はかかっただろうがやがて装身具としての価値が生まれた。採取生活の涯しも無い、打ち寄せては返す波にも似た時の力の内で、良くヒスイを拾う者が、出現したのであろう。その女性は波の動き、潮の満干、強さを良く知る者でもあった。良く拾える者と、拾うに小の者との間に少し計りの差が発生するのも自然の律動が成せる技である。

自然観察を良くし、その感触を脳内である程度組織化する複合的記憶力に長けた者が出現するのも自然の理であった。

シャーマンの祖である。

勾玉の造形は採取の技能と研磨技術の混成であるとするのは、以上の故である。

長い長い時の内でシャーマンは極く自然に生まれた。その存在形式が別の意味を持つようになり、政治家としての演技力をも持つに至るのは、その後の事である。

漂流する、堆積する

野田尚稔

隠者は石に魚を彫り、木に蜥蜴を刻む。
それは自己の中に神を求める幻想だ。

（吉田一穂「石と魚」）

建築家の石山修武さんと私を乗せ、写真家の中里和人さんが運転する車は、上信越道から北陸道に入った。名立谷浜インターチェンジで高速道路を降り、海沿いの国道を走る。日本海が日差しで輝いてみえるほどの好天だったが、次第に暗くなっていく。小雨が降るなか車を停め、濃い灰色の波が寄せる筒石の舟屋群をしばし見学してから、糸魚川に向かった。時間に余裕があったので、ヒスイ峡に行こうとするも、三月下旬は川岸にも山にもまだ雪が多く残り、道は通行止めとなっており、たどり着くことはできない。そこで予定より早くフォッサマグナミュージアムを訪れ、展示をゆっくりと観た。

翌日、撮影のために中里さんが以前に行ったことがあるという海岸へ。「ヒスイ」の文字の看板をいくつかやり過ごし、親不知漁港の手前の集落に向かう道に車を停め、線路近くの河口へ降りた。国道下の崖はコンクリートで固められ、川が海に注ぐ狭い範囲のみ立つことができ、波打ち際にはテトラポッドが点在していた。川の名前は書き留めなかった。

続いて、糸魚川市街方面に少し戻り、再び海岸へと降りる。こちらは小石が敷き詰められた広い浜辺となっている。快晴で、海は淡く青から緑のグラデーションに拡がっていた。

初めて訪れた糸魚川の海、そして中里さんが撮影する姿と石山さんがスケッチをする姿を見つつ、自ずと意識は足元の小石へと向かってしまう。旅先で小石を拾うことを習慣にしているというのもあるのだが、フォッサマグナミュージアムほかで、翡翠の知識を仕入れてしまったものだからなおさらだ。しかし、そんな欲の皮の張った視線に立ち塞がったのが、テトラポッドだった。河口付近に乱雑に置かれた、もしくは波の力でその場所へと動かされたテトラポッドのいくつかは、表面が削られたり、大きく割れたりしていた。浸み込んだ海水が冬の寒さで氷となり膨張してゆっくりと亀裂を作りだす作用の繰り返しが、テトラポッドの中身を露呈させることとなったのだろう。均質なコンクリートの肌で覆われているなかは、同質のコンクリートだけが充填されていたのではなく、たくさんの小石が混ざっていた。コンクリートのほうが軟らかいためにさらに波に削られ続け、その表面で小石はぼつぼつと腫れあがったような表情を持っている。さらにコンクリートの浸食が進むと、小石は自然とテトラポッドから剥がれ落ちるのだろう。そして小石はいつしか波間に沈んでいくのかもしれない。

さてこの表面が崩れたり脚が割れたりしたテトラポッドは、古道具として流通可能だろうか。そんな益体もないことが頭に浮かぶのは、旅の最後に三人で糸魚川の古道具屋を訪れたためだ。表面が崩れようと一部が欠けていようと、波打ち際に居座っている限りは消波ブロックとしての役割を果たしているので、現役の道具として機能している。別の土地で必要となった時、テトラポッドはその場所で製造されるので、使用中のものを長距離移動することは考えられない。となると、本来の用途とは離れた目的のために、古道具店を経由して流通することとなる。新たな用途は庭石だろうか。波の力と時間の作用が作り出したコンクリートに色とりどりの小石が混じるさまを表情として読み取り、もしくは何かに見立て、オブジェとして鑑賞するのだろうか。私はまさしくオブジェとして鑑賞する視線で、テトラポッドに目を向けていた。

そこで、テトラポッドの見方と小石の見方が、自分のなかで異なっていることに気づく。小石も天然のオブジェとして見ることができる。その形や模様に形象を読み取り、シュルレアリスムのファウンド・オブジェかのように提示することも可能だろう。しかし、私はまだ石をなにかに見立てる行為の面白さ、その深さを理解できていない。石を拾う行為は、もっと幼いこととしてある。結果として小石は鑑賞の対象としても自宅に置いてあるのだが、鑑賞よりも掌への収まりがその取捨選択の重要な要素となっている。必然、大きさは似通っていく。色彩や質感といったバリエーションはその後に派生するものだ。貴石の発見もその当初には握った時の感覚が、その識別の方法としてあったのではないだろうか。持つことで、大きさが同じでも重さが違うことに気づく。色彩に加えて重さの違いが、加工する欲求を発生させ、その色彩や質感を際立たせることになる。そのように糸魚川の姫川流域で発見・加工された石に翡翠があったと思いたい。しかし、翡翠の価値は固定されたものではなく、古墳時代まで加工され日本各地に流通していたが、身分や職業を表わす徴としての役割がなくなり、他の貴石を所有する人々の記憶からも消え、いつしかその存在は多くの人から忘れ去られていったそうだ。昭和初期に再発見されたことを今回の旅で学んだ。

多くの人が忘れたからといって、翡翠が存在しなくなったわけではない。地中から掘り出されることがある。神社の伝世品を見たことがある者もいるだろう。それも勾玉の形をして。世の中の価値体系から外れているものだとしても造形物として魅かれる人が現れても不思議ではない。その一人に松浦武四郎がいた。

松浦武四郎は、一八一八（文化一五）年、現在の地名では三重県松阪市の、紀州和歌山藩の郷士の家に四番目の子として生まれた。前世紀末、帝政ロシアが通商を求めて来航しており、このことから幕府は蝦夷を直轄地とした。また三重県鈴鹿市の船頭、大黒屋光太夫が漂流の末ロシアに辿り着き、エカテリーナ二世に謁見するなど九年余りを彼の地で過ごして、一七九二（寛政四）年に帰国していた。蘭学を基に西ヨーロッパの知識を得るだけでなく、北方へも強く意識を向けるようになった時代に、生を享けたことになる。一八八八（明治二一）年、東京神田の自宅で亡くなった。数え一六歳で江戸を目指して家出をして以来、亡くなる前年まで日本各地を巡った武四郎の旅のなかでも特筆すべきは、蝦夷地に入りアイヌの人々と交流し、その生活を記録するとともに詳細な地図を作成したことだろう。このため江戸幕府、そして体制が変わった後の明治政府からも重用され、現代では北海道の名付け親とも称されることもある。また、各地の知人より木片を取り寄せて配置した一畳敷の作者としても名が知られてはいるが、その生涯と事績についてこれ以上は触れない。

一八八二（明治一五年）、武四郎が数えで六五歳の時に撮影された肖像写真がある。和服を着て、髪は髷を結って、椅子に腰かけて半身が正面を向いている。その肩から腰にかけて、装身具というよりは呪術的な演出をするかのような大きな首飾りが掛かっている。この首飾りは、現在、武四郎が蒐集した多数の古物とともに静嘉堂に収められている。『静嘉堂蔵　松浦武四郎コレクション』（二〇一三年）によると、長さは一四五センチメートルに及び、勾玉、管玉、丸玉が連ねられ、金環や銀環もついている。玉の総数は二四三点という。この大首飾りのほかにもいくつか首飾りを所有していた。大森貝塚を発掘したことで知られるアメリカ人の動物学者エドワード・モースは武四郎と会っており、その際に見せられた勾玉類は、埋葬場や洞窟から発掘されたほか、土器の中から見つかったものだと本に記している。多くの人々にとってとりたてて意味のないものでも、なにかの価値を見出す人はいて、またそのような人物は自然とネットワークを築き情報を共有してしまうものだ。江戸時代末期ならば情報は人とともに移動する。生涯を旅に明け暮れた武四郎は、古物を蒐集しつつ情報の記録装置ともなって、日本各地を移動していった。一五センチメートルほどの大きさに仕立てられた首飾りには、特に深い緑色をした翡翠=琅玕の勾玉が連なっている。このうちの琅玕のいくつかは、日向佐土原一一代藩主島津忠寛より購入したことがわかっている。このように蒐集品に付随する情報が明らかなのも、武四郎の物持ちと整理の良さが発揮されているからだ。分類し、専用の箱を作って収納するばかりでなく、図と説明書きによる現在でいうところの所蔵品図録も作成している。図録『撥雲餘興』は木版で刷られて刊行されたので、武四郎の手元にある実物を見ることはない人々に、その存在とデータを同時代及び後世に伝える働きを持つ。さらに五年後に続編となる第二集を刊行した。収集・保存・研究・教育という美術館、博物館の基本的な活動を一人で担おうとしたともいえる。ここから松浦武四郎は古物蒐集を個人的な趣味の領域に収まるものとして想定していなかったと、美術館学芸員の私は考えたくなるが、本当にそうだろうか。

王侯貴族が私的に所有していた蒐集品が、フランス革命によって一般市民の共有財産として公開されるようになったのが一八世紀末。同時期にパリで最初の博覧会が開催された。この博覧会が拡大していき、やがて国際博覧会となり、一八六七（慶応三）年のパリ万国博覧会に初めて江戸幕府が参加し、日本で博覧会という西欧の展示形式が定着するようになる。日本国内でも開催されるようになった博覧会の施設が、常設の展示会場となる博物館の設立へと繋がっていった。松浦武四郎はこの博物館の誕生を横目に、自らの蒐集品を整理し、図録の編纂をしていた。では、個人博物館の設立を夢見た時があったかというと、それは考えにくいのではないか。蒐集した古銭は明治政府の大蔵省に寄贈したというが、それでも膨大な数の古物が身の回りにあった。前述の通り晩年には蒐集品を個人的に享受する空間として一畳敷を設けてもいる。しかし、遺言には一畳敷の材で自分の遺骸を焼くようにとあったといわれているので、自分の愉しみを他人と共有する気はなかったようだ。であれば蒐集した古物たちの価値は武四郎のなかだけにあり、没後もその価値を維持するために動くことはなかったのではないか。江戸から明治へという政変を体験した後、『撥雲餘興』を刊行した一八七七（明治一〇）年は西南戦争が起こり、まだ明治政府の形は確固たるものではなかった。手を尽くしたとしても没後に蒐集品が散逸することは必須と見做していただろう。では、松浦武四郎の生涯とともにすべてが無に帰すのか。そこで、情報＝記録が意味を持ってくる。明治政府による植民と開拓によって失われていくであろうアイヌの人々の暮らしや風習や言語が、武四郎の記録によって後世に遺されるように、自身の蒐集を通した生が『撥雲餘興』の形で遺ることとなる。松浦武四郎はその生が終わりを迎えるにあたって、自分自身を本の形として、土のなかに埋めるように膨大な本の間に紛れ込ませ、いずれ誰かの眼に止まるのを待つことにしたのかもしれない。

話は逸れるが、造形物が美術館・博物館に納まり、人の眼に恒常的に触れるようになったからといって、それが評価に結ぶつくわけではない。流通経路から一旦外れただけの状態に過ぎないともいえるだろう。エドワード・モースが大森貝塚での発掘調査報告書に記したことからその名がつけられた縄文土器も松浦武四郎は所有していたが、縄文土器という名称はまだなかった時なので、目録には土器とだけある。その縄文土器も国立博物館で収蔵、展示されていたが、同時代的な価値の発見には、第二次世界大戦後の岡本太郎の登場を待たなければならなかった。新たな価値が発見されるまでは、神社に秘蔵されてきた翡翠の勾玉と等しく、そのものを納めている囲い＝館＝機構が造形物の価値を規定していることになる。加えて、制作されてから現代にいたる時間、存在の時間がやわらかく、そして分かちがたきものとして、その造形物を包んでいる。

さて、古代に勾玉に加工された琅玕は、美しいもののたとえの意もあるとのことだが、日本で最初の画廊の名前にも付けられてもいる。一九一〇（明治四三）年に、彫刻家で詩人の高村光太郎によって開設された琅玕洞がそれだ。ニューヨークからロンドン、そしてパリへと渡った三年ほどの留学から帰国し、しかし、父親の高村光雲と行動を共にすることもできず、画廊を開いたのだった。自分や友人たちの作品を扱うも、経営が成り立たず一年で閉めることとなる。ヨーロッパで接してきた芸術家像は父親には理解されず、社会的にも同時代の美術に対する人々の視線が少ないなかで、光太郎は、異国で見たギャラリーというシステムを日本に輸入し、同時代の美術品を商品として流通させようとした。流通の先には所有がある。光太郎はその所有者として、顔見知りの狭い業界内の人物や、人となりを知っていて信用するに足る好事家でもなく、ごく一般の人々を理想としていたことだろう。作品の所有が、所有者にとっても作者や作品にとっても社会的な位置の象徴となることを良しとはしない。近代的な意識によって制作された造形物とともにある生活を多くの人に提唱することが、街中の一店舗として美術品を陳列、販売する画廊の使命としてあったのではないか。そうではなく美術品を美術品として流通させるためには旧来からの売買のシステムがある。しかし、それは多くの一般の人々の生活とは異なった領域にあるものだ。この状況は現代においてもあまり変化はないのかもしれない。高村光太郎がギャラリーという業態を輸入し、自ら経営するということは、生活のために自分や友人の作品を金銭に換えることが目的ではなかったはずだ。近代美術を街中で人目に触れるように展示して他者の生活に組み入れようとする行為は、人々の生活の近代化を企図している。啓蒙ではなく、直接的に生活意識の転換を促すものだ。帰国後の高村光太郎のもどかしさと性急さが現れており、このような革命的な行為が早々に失敗に終わったことも肯ける。

造形物の流通の一拠点となる画廊から貨幣経済を除外する——それは扱う物品から公的な価値を除外することになる——オブジェの店が、琅玕洞から五〇年後に構想される。この店を構想したのは、詩人で美術評論家の瀧口修造だった。瀧口修造は一九〇三（明治三六）年に富山県で生また。医師の息子だったが、親の跡を継いで医者になることを拒否し、慶應義塾大学の文学部に入学。ここで詩人の西脇順三郎と出会い、シュルレアリスムを知るとともに、その影響を強く受けた。詩を発表するが短い期間に終わり、第二次世界大戦前はシュルレアリスムを中心としたヨーロッパの近代美術を紹介し、前衛的な美術に関心を持つ若い芸術家たちの指導者となっていた。大戦後は美術評論家として若い作家たちと親しく交流した。新聞や雑誌の要請でジャーナリズム的な美術評論を書く機会も多くあったが、次第に、職業として金銭を得るための執筆に違和感を持つようになる。その後、知り合いの作家たちへ贈るように書く文章が増えるとともに、重要な活動となっていった。と同時に、書斎には無数の書籍とともに、出会った国内外の作家たちから贈られた作品や作品とは呼べないようなものたちが集まってくる。瀧口は書斎のなかで、さまざまな美術の欠片とも言葉の欠片ともいえるものたちと会話をしながら過ごしていった。松浦武四郎の一畳敷のようでもあるが、大きく異なるのは瀧口が贈呈を依頼していないことだ。武四郎は日本各地の由緒ある神社仏閣から木片を組み入れた一畳敷を構想し、知人たちに勧進を依頼した。これに対して瀧口の書斎は目的を持ったものではない。書斎を構成するものたちは、それらを統一する指標というものが存在せず、贈呈者個々の意思によって偶発的に集まってきた。この点でも瀧口は武四郎とは異なり、いわゆる蒐集家ではない。瀧口個人と相手との関係性のなかで書斎に引き寄せられてきたこれらのものたちを、「漂流物」と呼ぶこともある。

一般的な美術評論を執筆する機会が減り、瀧口はオブジェの店を開くことを想像し始めた。「市場価値の有無にかかわらず、それには無関心な独自な価値体系を、頑なにまもりつづけているように見える」書斎のモノたちとの会話から、「流通価値のないものを、ある内的要請だけによって流通させるという不遜な考え」が浮かぶ（「物々控」、一九六五年）。店という名称が仮につけられているが、販売や金銭の授受が目的でない。陳列と交換の場となるのだろう。ここで、内的要請の「内」は、誰の「内」なのかが問題となる。瀧口の意思で集められたものではないので、それを流通させるのも瀧口の意思であってはならない。贈り主の存在もあるが、ものは贈り主から離れており、贈り主の意思は届かない。であれば、もの自体の内的要請によって一般的な美術市場の外で流通が起きることになる。と書きつつ私はさらに自問する。市場の外とはどこだろうか。美術を規定する場所。ものの価値を云々する場所。同時代の評価の座標軸。それらとは無縁の場所で、造形物たち、拾われたものたちはそれぞれの意思を持つことができるというのだろうか。現実の社会とは別の価値体系が構築され、現行の社会システムを相対化させる場所が想定されている。高村光太郎が社会の内部から革命を起こそうとしたことに対して、瀧口修造は、地球をまるでものとして扱うかのように、社会全体をもう一つの価値体系の幕で覆うことを夢想した。その出発点がオブジェの店だ。

各々に主張する書斎の漂流物たちを鎮めるために瀧口は言葉を寄り添わせようとした。オブジェの店にも相応しい言葉が必要だが、オブジェの店もまた瀧口の手から離れ漂流する運命にあるものだから、瀧口ではない人物が言葉を付すべきだ。瀧口はそう考えたのだろうか。瀧口は店名と看板の文字を、マルセル・デュシャンに依頼した。スペイン、ポルト・リガトのサルバドール・ダリの家でデュシャンとは出会っており、この時に海岸で拾った石や貝も漂流物の一つとして書斎にある。デュシャンは命名を快諾し、「ローズ・セラヴィ」（Rrose Sélavy）という自分の変名を瀧口に贈った。瀧口は店の看板の試作として、銅板にデュシャンの筆跡を刻印するも、開店のための具体的な作業はここで止まる。夢想と現実を繋ぐ通路として看板があり、これもまた漂流物として書斎の一隅に居場所を持つことになった。

これらの漂流物は、瀧口の没後、拾った石のように美術品とはよべないものも含め、生地である富山の美術館に収められた。展示ケースのなかで同時代美術の体系に組み込まれつつ、オブジェの店という夢想の海を漂い続けている。

展示ケースを覗き、なかに収められた、瀧口修造の記憶と美術館というシステムという二重の覆いのうちにあるものたちから新たな意味を見いだすことはできるだろうか。

瀧口は日本の公立美術館の活動について、最晩年に懐疑的な文章を残した。それは公立美術館というシステムが、「一種のスターをつくることにおわりかねない」ことや、既存の絵画や彫刻から逸脱した表現を美術館のなかに取り込んだとしても、新たな額物や台座といった固定概念を作りあげるだけではないかという懸念があったからだ。それに対する理想の美術館の姿は明確にはされていないが、美術館は芸術表現の発生の現場となることが求められている（「美術館計画についての告白的メモ」、一九七七年）。この現場は瀧口自身が接してきた戦後美術の姿だ。発生の現場に立会うことで瀧口の詩的動機は刺激され言葉が紡ぎだされていった。であるならば、新たな意味を求めて漂流物を見る人々は、瀧口とは別の言葉をケースのなかのものたちに与えようとしなくてはならない。

ここで糸魚川のテトラポッドをもう一度思い出そう。風雪と波によってゆっくりと崩れ、かろうじて機能を維持し続けるテトラポッドに、どのような言葉を寄り添わせることができるだろうか。記憶を確かなものとするために、中里和人さんが撮影したテトラポッドの写真を見る（本書四〇頁）。テトラポッドの乾いた表面に無数の小石が浮かび、ざらざらとして触覚を刺激する細部の質感と、人の手を介した後で自然の摂理によって造形された輪郭線が大きく画面の中央部にある。波間に身を沈め海水で濡れているほかのテトラポッドや、遠くから寄せてくる波とは対照的に、強い存在感を示している。また別の写真では、半分以上が波間に沈み、頭頂部のみが乾いている。中里さんのフレーミングは、絵画のように構図を作ったうえで風景を配置するのではなく、被写体の要請にしたがって導き出されるのではないだろうか。そう考えるのは、現実の風景のなかでは匿名で無個性なテトラポッドたちが、中里さんの写真のなかでは個別のものとして表されているからだ。いままでの主題が定められたシリーズの作品が、写真集をめくっても繰り返しとは感じられず、それぞれの語りを持っているのも、同様の理由だろう。すべてが個別の出来事として定着している。旅のなか、中里さんは日没に合わせ同じ海岸に向かい、再度撮影をしていた。三月の旅の後も、撮影のために糸魚川を訪れているという。風景は、そして被写体は、絶えず変化する光と風のなかにある。シャッターを切ったとしても、世界を切り取ることはできない。だからこそ、中里さんはある瞬間のために繰り返しレンズを向けなければならない。岩や砂や海や光や風が、移ろいゆく目の前の風景のそこかしこが主張する、そのざわめきを形に置き換えるために。すると、中里さんの写真とは、読むことができない、聞くことができない言葉を、被写体に付与する行為なのではないかと思い至る。

PP.020-021▽**小滝川ヒスイ峡明星山**（新潟県糸魚川市）｜PP.024-025▽**親不知海岸**（新潟県糸魚川市）｜PP.028-029▽**親不知海岸**（新潟県糸魚川市）

P.032▽上：**姫川から望む雨飾山**（新潟県糸魚川市）、下：**翡翠**（新潟県糸魚川市フォッサマグナミュージアム）｜P.033▽**長者ヶ原遺跡竪穴住居**（新潟県糸魚川市）

PP.036-037▽**小滝川ヒスイ峡**（新潟県糸魚川市）｜P.040▽**親不知海岸のテトラポッド**（新潟県糸魚川市）

P.041▽**能生白山神社**（新潟県糸魚川市）｜PP.044-045▽**親不知海岸**（新潟県糸魚川市）

1日目
南相馬市村上城址→震災遺構浪江町立請戸小学校→福島県復興祈念公園→391号線、福島第一原子力発電所付近→大熊町帰宅困難区域

2日目
相馬市伝承鎮魂祈念館→毛越寺→柳之御所遺跡→中尊寺→毛越寺

3日目
村上城址→白水阿弥陀堂

第二章

イタコ・石・夢の宮殿、そしてシュルレアリスムについて

この小エッセイは制作中の海や山の漂流物、採取物、その断片の再生・転生への覚え書きである。

1

イタコは今では盲目の老女を、そして盆に下北半島恐山に集まり、人々の依頼で亡くなった先祖の口寄せ、赤児のあの世からの便りなどを口伝えする異能な人々を呼ぶのが通例である。恐山には小さな木造の小屋が二カ所に在り、そんなイタコ目当てに集る人々の大きな宿泊施設も用意されている。そんな有様を観ようと多くの観光客も集る。盆は死者と無言の礼を尽す、季節の儀礼行事ともなり、コロナ事変前は列島中の都市に出て働く者達も、それぞれの生れ故郷に帰り、墓参りする習慣にもなっていた。

イタコはそんな帰省者達の群を北へと呼び寄せる者の多くを象徴する。

南島にはノロと呼ぶ、やはり老女がいて、集落の外れの祠堂に見え隠れした。沖縄本島北端、奥集落でその姿を近寄り難く視たことがある。

南方には南方の、宿命的な明るさがある。太陽の光の強度にたたかれて、どんなに貧しくとも、疫病以外には容易に死に至り得ぬ。死体の腐乱の性急さは在っても、死の訪れの性急さへの感知の日常は遠い。全ては太陽の熱量と人体の受容力に帰する。

イタコを少なからず産する津軽地方は、地球儀では南北の位置は地中海と同じである。

南仏リヨンの郵便配達夫シュヴァルは日頃の仕事の最中《さなか》に、道端の小石に蹴つまづいたそうだ。足先が何者かに出会ったのである。奇妙な小石との出会いがシュヴァルの退屈でもあったろう日常の繰り返しをも蹴破った。とり立てて他に狂気の振舞いも無く、シュヴァルはその後三三年間をかけて、アンドレ・ブルトンが夢の宮殿と呼んで、芸術世界に意識下を探り、社会運動としても働き得る思想としても納めたシュルレアリスムの始まりであった。

シュヴァルが小石に蹴つまづかねば石はただの石コロに過ぎなかった。特別な石コロでは無かったであろう。

ただただシュヴァルの眠っていた別系とも言うべき意識の扉をたたき、覚醒させたのである。同時に詩人アンドレ・ブルトンがその出来事をシュルレアルと命名しなければ、シュヴァルの三三年もの、名付けようもない行為は芸術の王道とも呼ぶべきを、白日の許にさらさせる事も無かった。

シュルレアリスムは、ロートレアモンの手術台の上のミシンとコウモリ傘の出会いと無理矢理に呼ぶまでも無い。

アンドレ・ブルトンの言語の力と、シュヴァルの無言の闇との出会いであった。

シュヴァルは石コロと出会い、その同類と想われるモノ達を延々と積み上げ続けた。

北津軽の小泊、三厩辺りに少なからずのイタコは盲目の人が本来の素性では無かった。普通の生活の中に暮した女性が多かったようである。それがシュヴァルと同様に、或る日、特別な小石に出会ってしまう。

その小石を帯の重ねの間にはさみ込んだり、持ち帰り木の枝分かれの又に置いたりで、自分だけの特別なモノとして重宝したのであった。それがやがて他の人々の知る処となり、二、三年間をコミュニティの縁談やらの相談他のよろず相談の仲介者となった。それがイタコの始まりであった。

山形県最上地方では「根っコロサマ」と呼ぶ、奇妙な形をした木の根っこを神様として敬したそうであり、石コロが木の根に変じた。言葉を持たぬ人々（良く言語としてその意味を詩の如くに転じなかった人々）が畏敬の対象としたそうだ。詩人と異なり言葉を良くも悪くも占有しようとせぬ人々の、無理からぬ表現欲の現れであった。

人々は誰でもが、何かの形式で自己表現を欲する。芸術家の特権では無い。

シュルレアリスムはそれ以前の、例えば印象派の芸術家達の表現方法とは異なる側面を仄見せる。異常と言うべきであろう程に批評的である性格を奥深くも、浅くも、双方向に持つ。
シュルレアリスムはアンドレ・ブルトンが「シュルレアリスム宣言」を成した時に、それは社会性を帯びた。この変位はありとあらゆる芸術の、殊更に近代芸術の、芸術家の宿命である。個人の特異な才に過ぎぬを無意識の闇の扉を開けた人間、人間達に芸術家の個人の記念碑としてだけの価値を社会性を持ち得る可能性を開いた。極微ではあるが強い光であった。光のか細い線条の周囲は淡い闇でもある混濁した黄昏（泉）であり無名の群であった。芸術は芸術家が独占する世界だったのが開かれた。

今世紀に入り、正確には二〇〇一年九月一一日のニューヨーク、ＷＴＣツインタワーのテロによる大崩壊をもって、シュルレアリスムは、そして全ての近代芸術の大きな意味は消失した。

ニーチェが死に至るのは病毒が脳髄を冒したからである。その処女作である『悲劇の誕生』は、ギ

リシャ悲劇の誕生が野外劇場の女性コーラスによるの批評であった。演じようとする演技の形が合唱の視えない唱和＝響きに支えられ、つまりは産み出されたと言う事である。ありとある唱和の始まりが荘厳を意味すると批評したのである。ギリシャの女性コーラスは汎神の影に対する畏敬によるもので、他ではない。すでに森林の暗闇は人間たちに刈り倒されて失せていた。低山の裾に設けられた円形劇場も又、汎神（非キリスト）に対しての開放性を色濃く所有した。重量を持つ天蓋は無く、地中海の虚空が、その光と闇が、月星の微光が天蓋として人々には共有のモノとして認知されていた。ローマのパンテオンの重力そのものの反映であるドームは必要なかった。つまり建築の形式は必要なかったのだ。人々の感性の原始に近い鋭敏さが、技術の異様な集中をしりぞけたのである。

ニーチェが『悲劇の誕生』を書いたのはその死に至らしめた病毒にすでに脳髄は冒され、汚染され始めていたからだろう。そんな身体内、つまりは意識を集約させる脳内細胞は、その状態に於いて、グレーゾーンの始まりに於いて異常な活性を示すものである。

その境界線上での、それは発想であった。文献学の緻密な積み重ねによるだけでは、あの発想はあり得ない。

核分裂の現前化はヒロシマへの原子爆弾の投下爆発によってなされた。それは科学者、技術者の高度な純粋知性。高度であればある程に科学者、技術者は自身の所有する特質を現実に行使する欲望の虜となる。優良で純粋な脳の性能は実に危険であり、時に毒性を深く内在させるものでもある。

ニーチェの音に対する感応力がどれ程のモノであったかは知らぬ。ワーグナーへの初期の共鳴を知るに、女声合唱の、初源の和声、和音の響きを聴く耳を持ったとは考えられぬ。ドイツ観念学の祖の一人でもあるから、それこそ観念の極み、抽象の内の更なる抽象である数学的抽象からそう考えたのではなかろうか。アーリア人、北方ゲルマン民族の特異である。

ギリシャ円形劇場の様式は、低い山並み（丘）の傾斜を利用する智恵から産み出された。繰り返すが、山の森林は伐り尽され、ほぼすでに裸形の岩山であったろう。ギリシャ悲劇はすでに都市の文化の産物であった。人口は都市への集中を重ねつつあった、貴俗問わず人々は、蓄財、蓄材により、山の裾の円形劇場へと足を運び、儀式にも似た悲劇の女声合唱や、それを背景にした物語りを、楽しむゆとりがすでにあった。

当初は自然な傾斜のママに使われた地形（傾斜）は、やがて石造化され、装飾され円型へと更に抽象化された。

イタコを神の似姿であるとする前近代の観念は、極上に近い知性の産物でもある。物言わぬ、石コロや木の根っこに、ただならぬモノの怪を感受し、個人に秘蔵の神とし、それが次第に周りの小コミュニティの人々の知るところとなる。そして、そのコミュニティの共有とする生活の恩恵を授け、次第に盲目の人の特権として職業化されてゆくのである。

イタコの口寄せはギリシャ悲劇の女性合唱の和音に酷似するように想う。盲目でなく、イタコになった人々は二、三年すると元の普通の生活へもどったようでもある。その生活の繰り返し、つまり演劇性を帯びた生活と、ただただ唯物性の繰り返しとの時間割は、ある種の理性のプログラムを備えていたと考えられる。

アニミズムはマナリズムを祖として持つ。マナリズムは宗教観念の祖型である。つまり、深く演技性、演劇性を始まりにしていた。その演劇性はそっと薄目を開けて周囲を見廻すの通俗性とは異なるが、異常に遠くでそれに近付くモノだ。聖と俗とは薄皮一枚の表裏である。とは言え、『悲劇の誕生』とイタコを並べて論ずるのは無謀であろう。イタコの方が上手《かみて》に在る。

人類の個々が持ち続けてきた自己内演劇性への接近を考えるならば、この考えはただの乱暴さではあるまい。日本列島は関東地方辺りを回転軸として、グニャリとねじ曲がった地形を持つ。海上に視える地形は海面下の地形に連続し、地質学的にはマントル層の運動性に富んだ物体とは異なる部厚い

物質によって微動を続ける。

その物質の運動の歴史の考古学と比較すれば、大した幅の乱暴さでも、間抜けな独人よがりでもない。

すでに地球と呼ぶ球体は、地表近くのオゾン層も、地殻も、海洋さえも人類の営みによっての破壊が続けられている。その暴力の大と比較すれば、針小の乱暴に過ぎぬ。

はやぶさ二号の宇宙空間を旅した距離、往復五二億キロメートルと比較すれば地球上の東西の距離、ギリシャ悲劇と北津軽のイタコの生延とは接着に近い間柄である。しかしながら大宇宙の神秘は、人体内の細胞のウイルスと極似極近のモノであるのも同時に知られている。

超現実家は石に蹴つまづいてイタコならぬ芸術家としての自身の生命の拠り処を得る。批評家はそれを詩として言葉とし、更に芸術運動にまで共同の夢として煮つめる。

アメリカ大陸には多くの批評家・詩人が亡命した。ブルトンもニューヨークに暮し、後年『悲しき熱帯』を書く、人類学者レヴィ＝ストロースとの交友があった。レヴィ＝ストロースは終生現代芸術に意図的に関心を示そうとはしなかったが、シュールレアリスム運動そのものには浅からずの関心を示したそうである。

原始に近いであろう人類種をアマゾンの大密林に迄訪ねた怜悧な知性は、ブルトンの言説の内に原始人のつぶやきも又聴いたのである。

2

東北地方の自然も文化も、共に日本の近代化つまりは総都市化への産官学の意志により徹底的に破壊された。その破壊の象徴こそが福島第一原発の今、そして終る事無き未来であるが、別に述べ、又何らかの形で表したい。

下北半島の諸集落、特に日本海側の浜辺の村には強大な波防ダムが築かれた。太平洋側には知られるように核廃棄物処理の諸施設が国家による国土計画の許に建設され続け、原子力船むつの廃船さえままならぬようだ。何故、核廃棄物が北へとワザワザ運ばれねばならぬのか？　はすでに地質学の説明のほかに論拠はあるまい。説明し得ぬ計画上に我々は暮している。

民族学、特に東北学はすでに考究する素材を失っている。一部に農業と観光（ツーリズム）を結びつけようとする努力があるが、農はともかくとして観光概念（国内）は浅いままだ。

その浅さはイタコの現実の生態とも言うべきものにも現れている。

イタコが初源の共同体に普通の一員であった頃、多くがそれぞれの石、浜辺の石であり、河原の小石でもあったろうが、その石とは特異な関係を持った。石そのものは金銭に替えられるモノではなかった。個人のヘソの緒と同じにそれは存在の深奥と結びついた物質であった。それを言葉にする事もなかった。この無言は生命の神秘と言う他ない。宇宙の星々のそれぞれの光に自身の生誕の神秘を託そうとした古代人の如くに。

やがて個人の秘匿は次第に共同体の人々の知るところとなり、口伝された。イタコの誕生となる。イタコはそれ故に共同体の産物でもあった。人々がその存在を深く望んでいたから顕在化した。

盲目の女性が多くイタコと呼ばれるようになったのは、共同体の弱者対策ではなかったか。相互扶助とは言わぬが、貧しさの極に近くは、人間の美質をも時にあぶり出す。

根っコロサマを奉ずるも、特別な人間存在は要しなくも、特異な物体に不思議な力を視ようとする人間の、そして共同体に不可欠な秘密に始まる創造の演技力の露出であったろう。コレハ深い演技力と言えるだろう。つまり原イタコは芸術家であった。

民族文化映像研究所の努力で少なからずのアイヌの儀式が映画として映像化されている。アイヌは

文字文化を持たぬが故に、唄や踊り（大半が合唱であり、輪舞である）、更には土地の命名の高度な精妙さとして表現した。柳の木枝を使用して作る祭儀用の独特な白木の細工はアニミズムの結晶でもある。朝鮮半島から、大陸からの移住民族とは異なる北方系民族の独特が在る。

アイヌ民族の現実は極めて重要だ。何故ならば、それは血の混在として東北、北海道地方に強く残されてもいるからである。津軽、外ヶ浜は、たかだか四〇〇年程昔には東北藤原一族文化の北方との交易の拠点であったようだし、考古学の努力は藤原文化（平泉文化）が南方をも含め、より広域な拡がりを持つ事をも明らかにしている。

民族（民俗）学の到達点は歴然として天皇学にある。天皇墓の正式な公開発掘、更には天皇、および天皇族の埋葬体遺物の調査による民族の世界史に於ける、人間の移動混淆への探求は、はやぶさ二号の小惑星リュウグウの砂の調査と同じで大事なことである。何故ならば戦争はそれを知らぬ、知ろうとしないから起こると極論できるからだ。

レヴィ＝ストロースはアンドレ・ブルトンとニューヨークでの交友の時期があった。その際にどんな交流があったのかの詳細は知らぬ。詩人は郵便配達夫シュヴァルの理想宮の建設を媒介として、シュルレアリスム運動を展開しようとした。芸術としての運動が、どのように現実に働きかけたのかはまだ良く解らぬ、としか今は言い様がない。

すでに現実が非現実をオーバーランしてしまった。

民俗学と芸術との関係は如何なる境界を持つのか？　レヴィ＝ストロースとブルトンとのニューヨークでの遭遇は、イタコと石との遭遇に似もせずに何者をも生まぬママであるのだろうか。

民俗学者は訪ね歩く対象を失った。それでは芸術家の側はどうなのか？　シュヴァルの如くに石に蹴つまづく遭遇を持ち得ているのだろうか。怪しいものである。

棟方志功の彫る版木は根っコロサマであるような気もしないではないが、棟方自身がそれへの関心を述べる如く以上に青森ネブタの祭礼の華美は観光資源の他に何を求めて産み出され続けているのかは解明したい。

初源（オリジナル）のイタコと石との出会いが今も続いているとは到底考えられぬ。今のイタコの口寄せが全て近代の観光ビジネスの産物であるとも言えぬ。イタコの口寄せにすがろうとする人々の、近代が産み出す原始への遡行願望の逆説のようなモノか。

東北生誕の近代芸術家達にイタコの継承を視ようとするは、渇望に近くの正統な考えであるが、やはりまだ遠い。多くの近代芸術家達は余りにも自己の才質と思しきものに頼り過ぎ、他と溶融する勇気を持とうとしないままに来た。あるいは出来なかった。東北地方にルーツを持つ芸術家とて、同じである。

岡本太郎の二つの写真の仕事、「東北の子供達」『沖縄の女達』は重要である。岡本太郎のパリ時代はマルセル・モースの民族学に接し、岡本太郎の美質である直接の出会いに強く影響された事にある。岡本太郎はアンドレ・ブルトンにも会っており、『シュルレアリスム宣言』他の著作に署名を書き添えられたものを受け取っている。岡本太郎の直截極る人柄は、マルセル・モースの学者の、人間が発する交信力と同じに、ブルトンの詩人の言葉の響きに、強く影響された。そして、芸術家は、裸形の影響を他には秘匿する性質も持つ。岡本太郎の書棚にはブルトンの署名入りの著作が蔵されていた。『シュルレアリスム宣言』、『黒いユーモア選集』（一九五〇年）、『シャルル・フーリエへのオード』（一九六一年）他が含まれていた、とされる。グラジナ・スベリテエは次のようなことを述べている。――「魔術のこととなると『シャルル・フーリエへのオード』はとりわけ重要であると記している。――は重要な指摘である。――フーリエの社会主義的なユートピアは情念の解放に最も大きな重点を置いていて（……）ブルトンは『自分の作品は、自分が探求する新たな集団神話に到達するための採り得る手段だと考えていた』とする」。

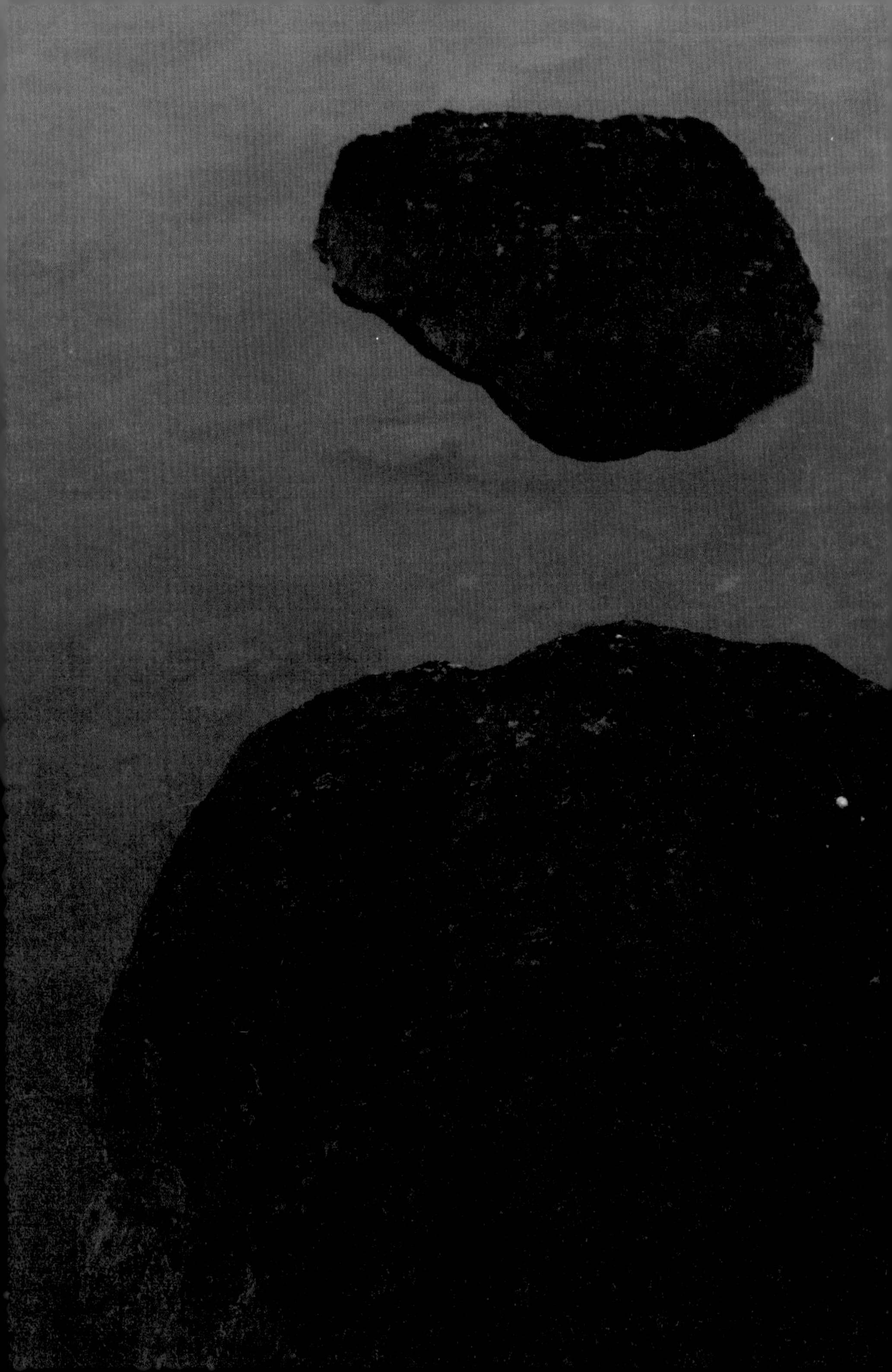

アンドレ・ブルトンのかくの如きの言葉と、それへの克明な解釈を介して、ようやく我々は今、岡本太郎の写真の仕事と、東京渋谷駅に展示されている「明日の神話」に描かれた呪文の意味に触れることができる。

すでにその巨大な壁画の表面に表わされたフォルムや色彩だけでは芸術的営為の表面をなぞることしかなし得ぬ。

岡本太郎の芸術はイタコに通底する。近代化される以前のモノにより近いであろうイタコの霊記（ノリト）をオカルト的な演技として聴こうとするは、むしろ我々の健全な常識の平板の壁そのものである。純正と考え得るシュルレアリスムはその各種表現を介して、彼らの恥辱の自意識の先に在ろう、そんな意味でまさに現実の生身を越えた、もう一つのそう在りたい生身を視ようとしている。

岡本太郎の写真には撮る対象に最短距離で接近する率直極る眼があった。その眼は若年期に半ば亡命する如くにして渡欧、パリに暮らした、そして近代ヨーロッパの芸術家形式との痛切極る体験があった。

芸術、特に視覚平面表現としての絵画の近代とも呼ぶべきものを岡本は皮膚からも、他の言葉の響きからも激しく感受したにちがいない。

歴史（世界史）の必然としての第二次世界大戦は独人の芸術家個人にも万人同様に力を及ぼした。岡本はパリでの芸術的実践の道半端にして、二度目の亡命の如くに日本へと戻った。民族学者達の少なからずも、国境を越えての移動を余儀無くされたのは芸術家達も同様であった。居場所を固定する安逸さからも逃亡する、むしろ普遍でもあった。

岡本太郎はイタコである。裸になるのを好んだようだから、南島のノロと呼ぶべきか。津軽の原イタコの同族であるとするには余りにも近代知の不自由を持っていた。日本に居た幼少年期は周囲に全く馴染もうとはしなかったようであり、かの子、一平の両親と共にパリに出た。その辺りは通常の日本人芸術家達とよく似ていた。江戸から東京への都市の変化は、ヨーロッパとの出会いの性急な受容を企てねばならぬ程であり、同時に古来、異文化の受容には力を尽くす民族性があったから自然な成行であった。

原イタコは貧しさ極る北の小集落から生まれ、自分のとでも呼ぶべき石に出会って、アニミズムの中枢とも考えられる石との交感の涯の如くにして原イタコに変身した。その存在形式は貧しい集落の、外を持たぬ密実なコミュニティでは存在自体が小集団生活には必需でもあった。異次元の外来者として機能し、人々もそれを求めたからである。婚姻の相談、祭礼の時期形式を含めて、日常生活に必ず出現する小さな交流を新鮮な状態に、時に異化せねばならぬ事もあった。

日本近世に広く出現した遊行の民も又同族である。固定し繰り返しを余儀無くされ易い列島の地が産み出した民族的智恵であった。

岡本太郎はかの子、一平のＤＮＡを率直に継承した。日本人には稀な異人である。本来の存在形式である芸術家として生れ、成人した。原イタコは、そしてシュルレアリスムの法王を自称した偏屈な大詩人アンドレ・ブルトンが出会った石の魂であり、溶けて群となった理想宮のシュヴァルが躓つまづいた如くに、それでは岡本太郎は何に躓つまづいたのであろうか？

岡本太郎はヨーロッパ芸術、そして近代芸術の裸形素と呼ぶべき芸術家達に躓つまづいたのである。後年、東京上野国立博物館の階段下にひっそりと置き捨てられていた縄文火焔土器に躓つまづき、岡本の日本美再見の旅は始められたようだが、それは小さな躓つまづきにすぎぬ。岡本にはそのように、つまり原イタコのように何者かに出会い、なおかつ、その出会いを自分も生の糧にしてしまう力があった。芸術家本来の特権である。

「明日の神話」「太陽の塔」の双作が岡本太郎の代表作である。大きさ、重量、共に現代美術の常識らしきを跳ねとばしている。「明日の神話」は平面（絵画）であり、「太陽の塔」は立体作品である。

代表作を持たぬ芸術家は今に多い。代表作とは何を意味するか？　作家（芸術家）個人の技倆の質が集約され得たモノを呼ぶだけでは岡本太郎の近代のイタコ的本質は要約し得ぬ。「明日の神話」は最良の芸術家が近代、及び近代以降、どうしてもイタコ的呪術性を帯びた表現を更に帯びざるを得ぬのを端的に示している。

芸術そのモノが本来持つ特異（普遍と相対峙するモノ）が現実に圧倒され、乗り超えられてしまったからである。繰り返すが二〇〇一年ニューヨークのＷＴＣ自爆倒壊事件、ブッシュ大統領が「コレハ戦争である」と叫んだ事件の映像群、報道量の同時流通の巨大、そして日本国内では二〇世紀末からの数多い震災津波の、これも又、映像としての瞬時の共有体験がそうさせた。映像が人工衛星の利用により地球規模のスピードで伝達されたのだ。

この歴史的事実は芸術家達に、より大きな衝撃を与えたに違いない。時代に鋭敏過ぎる受容性が、芸術家の特権でもあるからだ。

全てとは言わぬが芸術家そのモノの本質に幕が降ろされたと感得したであろう。その様に知覚し得ぬ者は、ただの猿の群である。猿真似の猿だ。

岡本太郎の「明日の神話」はメキシコで制作されたモノであり、様々な壁を乗り越えて、日本に戻り、首都東京の巨大駅のコンコースに落ち着いた。そのモチーフは原子爆弾製造の巨大な矛盾そのモノである。その矛盾は現代社会の闇でもある。コロナウイルス事変も又同様である。多くの市民は疑問を持ち始めているだろう。オリンピックも然りだ。岡本太郎の大作、「明日の神話」がコンコースにディスプレイされている事件は、より広く世界に知らすべきであろう。芸術が美術館の内に収蔵され、多くの人々の眼にも気持ちにも触れ得ていない現実を強大な鏡の如くに写し出しているのを知る事にもなる。岡本の芸術の、表現技術の稚拙振りはその価値に比しては問題とすべきではあるまい。

「太陽の塔」は七〇年の大阪万国博覧会での主要な役割を終え、これも又、二度目の大阪万博で再び役割を果たすであろう。岡本太郎の「明日の神話」は本来のメキシコにとどまらずに良かったのである。渋谷名所スクランブル交差点を見おろす、大量の人間が足早に通り過ぎる駅構内が最も適している。芸術家がモチーフとした考えが伝わらずとも、それで良いのである。必ず、そのくすんだ色調の意味やらを再発見する者は現れる。「太陽の塔」も又、それを覆っていた丹下健三デザインの大屋根が取り払われ、対極主義の対を失い、悄然として単独の塔となった。風に吹きさらされ、黒い太陽の色も少しばかり色あせたが、単独物体となった。「太陽の塔」は良い。更に、来たるべき第二回目の大阪万博時には圧倒的にその呪文の真価を発揮するであろう。やってくるであろう南海トラフの運動による巨大地震で、少々のダメージがあるやも知れぬ。コンクリート製であるから元々、長い時間に耐え得る物体では無い。しかしながらニューヨークの自由の女神よりも余程、芸術品なのである。そして物体自体が現代に於ける芸術の、芸術品の意味そのモノを問うている。もって廻ったアイロニーも全く振り捨てて在る。創造は今や批評である。

3

奴奈川姫の姿形は木造奴奈川姫神像で知る事ができる。しかしその姿は後世の作像家の想像の域を出る物ではなかろう。平安時代、どう遡行しても天平奈良時代の女性貴族風なのだ。本格的な史学者においても古代、ましてや縄文時代の女性の服飾が如何なる物であったかはそれ程に精妙に知られてはいない。わずかに青森の三内丸山遺跡から出土した縄を編んだ手下げ袋があり、そのデザイン、質感が息を呑むほどに見事であるに驚くばかりである。生モノの物体としては、残念ながら私にはそれくらいの体験しか無い。このハンドバックを視たら、三宅一生だってわざわざアフリカの原住民の布作り、染色技術を学ぶまでも無かったであろう。

縄文時代、すでにお洒落な女性は出現していた。糸魚川塗名川神社の木造塗名川姫はましてやシャーマンであった。シャーマンこそはお洒落に関心はあったろう。しかしながら、シャーマンのお洒落は身を飾るが、更に意味を変える必要があったのである。身を飾る美に力の感覚が必要であった。力の感覚は権力であり、力そのものをも示さねばならなかった。

平安天平の女性貴族のファッションは格差の表現でもあったが、いささかの動乱があったにせよ、とりあえずは平安であったからこそ中下級貴族であった紫式部は『源氏物語』を書き得たし、清少納言は『枕草子』を書けた。今の女性作家と、その美意識はいざ知らず、微差しかない、衣類は重く、部厚いものであり、これは冷気に対する防御の機能からだった。羽二重、十二単衣の類はそれからも生み出された。それに連関して重ね着の色彩感覚も研ぎすまされただろう。

木造塗名川姫神像もボッテリした衣をまとっている。糸魚川も京都に似て冬は底冷えが大昔から厳しいのである。だがボッテリした重ね着に、首飾り、耳輪、イヤリングの類は似合いはしない。そんな服飾の初歩は、すでに女性は知っていた。縄文期のシャーマンは、では何をもって力の誇示、権威の小シンボルとしたか。宝石類であったにちがいない。宝石、宝玉は貨幣同様でもあり高額で交換されもしたろう。

糸魚川長者が原遺跡や三内丸山遺跡にも在る、住居には大き過ぎて、架構にも荘厳の意図が視えよ

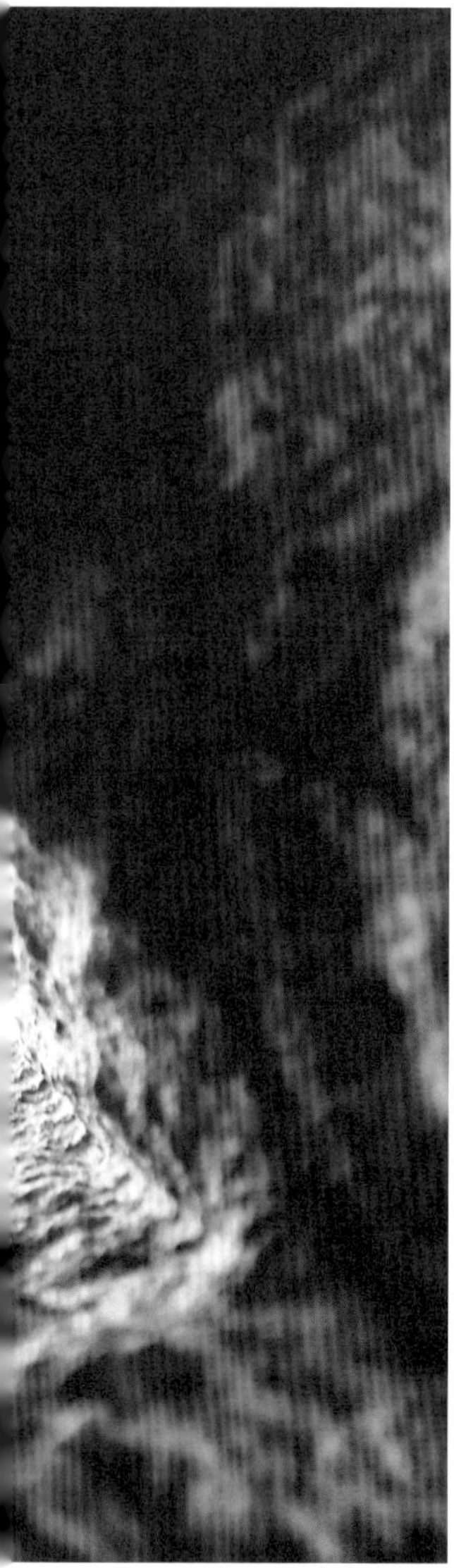

イタコ・石・夢の宮殿，そしてシュルレアリスムについて　　　第二章

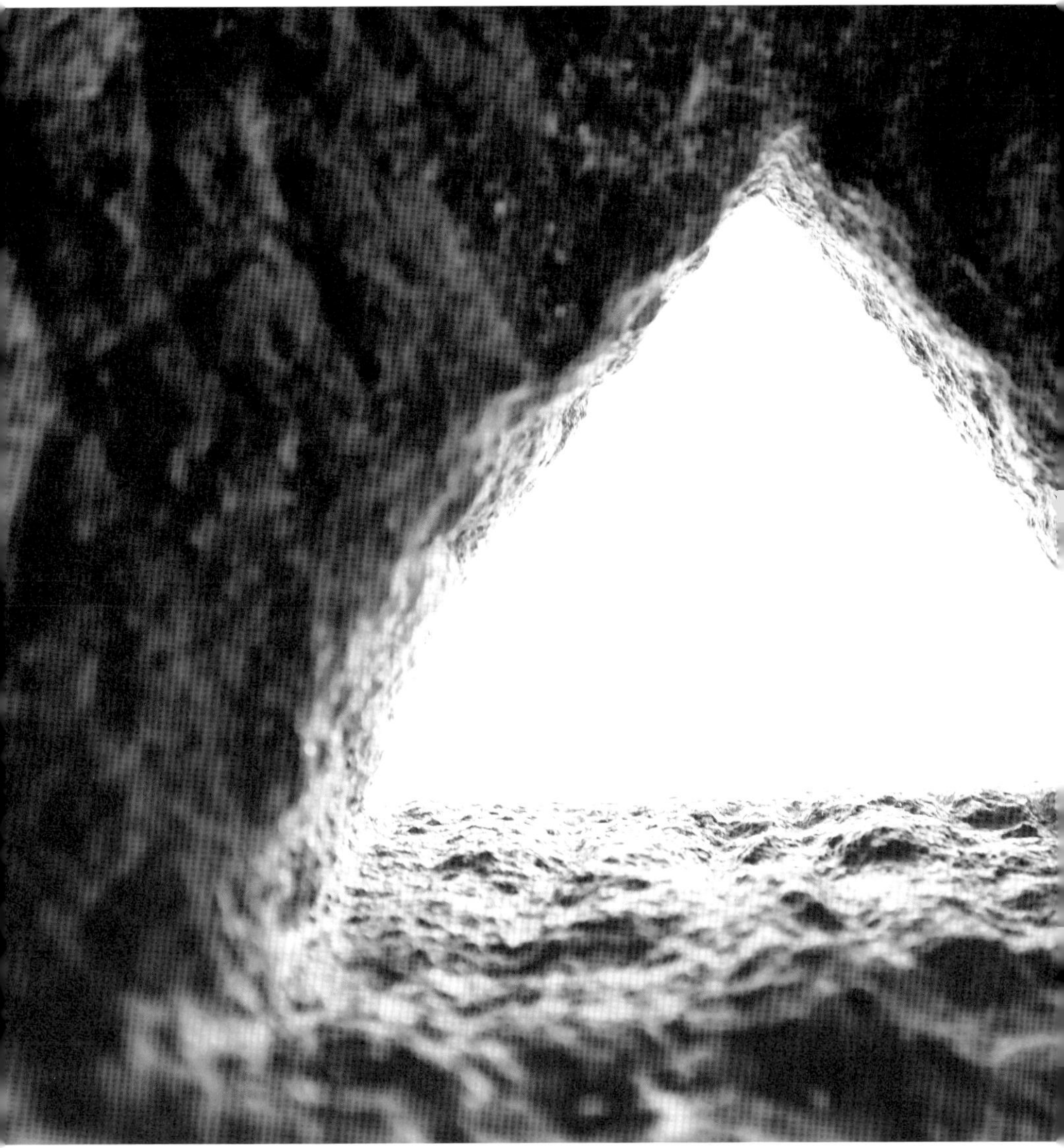

う特別なスタイルは、それが目的で作られた、と考えるのが自然であろう。

交換の場はハレの場でもあり、儀式にも似た特異を持たねばならなかった。宝石、宝玉は別種のそれと交換されたであろうし、別種の貯蔵可能な羽根飾り、動物たち、それに食料品類と交換された。別種の特異が在るからこそ交換の意味が生まれるからだ。

その交換の場にもシャーマンの存在は不可欠であったろう。何しろ別種の差異を交換するのであるから、交換の決め手は占いに似た、演技らしきが必要だったにちがいない。別種のモノは、計測による比較が不可能であったからだ。キログラム幾らの規準がなかったし、相場も積み重ねる時間の長さが必要であったから。交換の経験のギャップを埋めるにもシャーマンの演技力は必要不可欠であった。

商取引の始まりの場は神社の縁の下であったとの説もある（網野善彦）。中世市場の生誕である。更に、古代商取引は実に神秘な空間であった。シャーマンは商取引の空間を演出し、時には支配せねばならなかったのである。力を行使するに女性は身を飾る必要があった。シャーマンとしての威光、力を示さなくてはならない。

それにはフォッサマグナ産の宝玉が一番適ったのである。始まりは波打際の採取からヒスイが発見され、収集された。地殻変動で露出したマントルの一部断片がヒスイである。河の流れがそれを海に運び込む。流れる水のエネルギーが鉱物の断片を更に破砕する。海に流れ込んだ小断片は波の力で更に繰り返し結晶の如くに極微に砕かれ波動により他の鉱物とこすり合わされる。長い、実に長い、人間たちの日常の生活の繰り返しとは比較にならない時間がかけられてヒスイの小片は磨かれ続ける。ワカメやコンブと同じに浜辺に打ち上げられる、それを人々は採取したのである。そして砂や他の石コロとちがう神秘を感得した。それは波の力のエネルギーと繰り返しの時間の産物であった。浜辺近くの集落に持ち帰られたヒスイの小片を更に磨く者も現れた。表面の光沢が深まるのに魅入られたからである。そして、女性も男性もそれを身につけ始める。男女間の引力を増進する道具としても、更にシャーマンの多くが女性であったのは、やはり子を孕み、産む女性の神秘からであろう。月の満ち欠け、形の変化は人々の驚きであったが、女体の生理の満ち欠けにも同じく繰り返す神秘があり、その関係への想像力も働いたであろう。

繰り返しのコヨミを良く観察する者が現れる。女性の生理のコヨミとの共通を気付き始めるのは、やはり女性でしか無かったであろう。

太陽は直視し得ずにいた、人間の眼の力がその内部機構が太陽を直視し続けるのを不可能にした。人々の生活は太陽の繰り返しの動きにより密接であった。今の我々に同じである。太陽エネルギーは熱を帯びて、何よりも月の光には無い実生活に役立つ。寒さも防いでくれる。

多様な食物、果実や木の実も育てる。太陽の運行と食物採取の因果関係には人々は早くから気付いていたろう。そして、月のコヨミと、太陽のコヨミが意識された、シャーマンの主要な能力、求められた力は暦《こよみ》についての知識であり、予測力であった。

予測は占いの形をとった。その占いの力を飾るのがヒスイであり、宝玉類であった。硬いヒスイ、勾玉には大変な苦労の末に小さく孔があけられ、ヒモが通され、首飾りにもなった。シャーマンはとりわけ上等なそれを、しかも多量に身につける必要があったのだ。その必要は人々の神秘の力への願いでもあったからだ。宣託、予測、占いが当たりますようにと祈られもしただろう。

塗名川姫木像が原始性よりも、むしろ平安貴族の女性像に似せて作られたのは誤りではない。作像者の造型意識の反映である。アニミズムは影を秘そめたのだ。そして稲作の表現へ移ったのである。農耕のコヨミである。

平安天平の美が女性たち、貴族層の女性たちにより、表現された標本が東北平泉の浄土庭園であり、岩城白水の阿弥陀堂であり庭園である。浄土式庭園の要は庭園の池である。そして池は水面が静止した時には、女性たちの手鏡の如くに、女性の願望を写したのである。

この形式の極北は大和藤原氏の私物であった宇治平等院鳳凰堂である。この堂宇に一切の機能は無い。ただ阿弥陀像が置かれている。阿弥陀と呼ぶ仏神の源は何処であるかはまだ不明であるようだ。インドでは無い、ズッと遠いシルクロードの先、アレクサンドリアあたりとの説も在る。アレクサンドリアはギリシャ文明、エジプト文明の交接の地である。解明されるにはまだ時間がかかるのだ。た

だアミダの名はどうやら光を意味する、であるらしい、阿弥陀像が金ピカに輝き、内陣、仏壇も金ピカに殊更に化粧されるのはそれ故である。光を意味する偶像を置くだけで他に何の実利の機能が無いのが特色でもある。ただただ「美」を実体化するために考案された形式に過ぎぬ、虚体であり、架空の伽藍である。浄土を想念しての物体の形式であるから、浄土の模型と考える事が出来る。模型の字

義通りである。浄土を縮尺して現前させた。

平安時代は疫病蔓延、多くの天災も在り、権力者藤原氏と云えども不安の極にも在った。その解消を目的に実現させた物体であったが、何かが欠けていた。鳳凰堂の前に作庭された池の造型が、堂の充実に比して充分に働いていない。美に欠けている。その欠落を考えさせてしまうのは、東北平泉の藤原一族が成した浄土式庭園を視て、知るからだ。一族は北方異民族との交易で財を蓄えた。砂金採取の地場産業だけではない。遠方との交易はその距離に比例して利益は巨額になる。アザラシ、オットセイの皮は馬具として、ワシの羽は矢羽として、共に当時の兵器であった。東北産の馬も又然り、軍馬として千金の額で取引された。兵器産業が巨額な利益を生み出すのは今に通じる。権力の中枢であった京の藤原氏ともそれを介しての強い関係を構築した。当然女性貴族たちの交流も実利をともない深かった。それ故に女性貴族たちの文化交流の深度は深く、美意識も更に高度に研磨されたのである。女性の美意識は手鏡に集約されよう。化粧道具の象徴である。

つまり、鏡である。男のナルシズムはナルシスの哀れに通じようが、女性の鏡との関係はより深く、生きる道具でもあろう。より良く生きようは生産の現場に反映されるのである。金色堂の燦然たる黄金の輝きにも増して、それは庭園作りの美学として結晶した、平泉浄土庭園である。磐城白水の阿弥陀堂庭園である、白水の浄土庭園は小振りであるが女性の美学をより端的に表現している。池に写る太鼓橋の姿は作庭者藤原氏徳姫の感性を直截に写し出す。この場所は姫が決定したろう。堂を含む全ての造作は姫一人の頭脳内に形作られた映像の写しである。更に極言すれば手鏡に写した姫自身の似姿であった。大きさも過大ではなく、しかも池を包み込む周囲の山並みの姿を写し出すのに充分である。鏡であるのを、手鏡の小でもあるのを今に誰もが感得するであろう。女性の孤影をも伝えよう、凄絶とも遠い、声高に叫ぶのでもない、一人の女性貴族の美学そのモノが静謐である。

平泉の浄土庭園も又、池の鏡が中枢であり数々の工夫がこらされている。

ミース・ファンデルローエの近代に於ける傑作であるバルセロナ・パビリオンの池は、浅い人工の池底が黒く塗られている。底に敷きつめた小石の粒の大きさも計算され尽くしてのモノである。水面をでき得る限り静止させようとした計算からである。

平泉の池はデッカイのが良い。発願、発注は女性貴族の複数であったにちがいあるまい。流れ込む小さな川は作庭記そのままである小立札があるが、池は作庭記の小さな理クツをはるかに超えている。大きくって海に似ているが、そのスケール感の大が、これも又、女性貴族たちの奮張り振りを精一杯に表現し切っている。

近くの柳原御所遺跡は藤原一族の居住地、すなわち普段の生活の場であった。家の礎石跡から推測するに小さな家の群であった。大径の木材も使われてはいない。三内丸山遺跡に復元された縄文住居群よりも小さな家である。この遺跡にも池が在る。小さい、つつましいモノである。その日常は平民に近く、貧しかったのである。しかし、平泉浄土式庭園はその女たちが、ひとたびのハレの場として構想し、指示した庭園であり表現力であった。コレワ、女の意地でもある。京の藤原なにするモノぞの意地である。

一〇円銅貨に鋳込まれた宇治平等院鳳凰堂の建築と平泉の浄土式庭園とが合体していたら、これは平安時代随一の美の結晶になったであろう。

日本的美を信用できずにいるけれど、もしかしたら、この仮想の内には想像可能であるやも知れぬ。しかし、女性になり替わることは出来ぬし、その勇気も無いので無理である。

平泉藤原氏の浄土式庭園の池底にも黒色の手のヒラ程の丸石が多用されている。復元の力になった史家たちの史的検証力の成果だが、その池の巨大な鏡面を作ろうとしたのは平泉の女性貴族の美学である。

宇治の平等院の池を、はるかにしのぐのである。

海、あるいは時間

野田尚稔

海は私にとって、
実在する最後の空間であり、
その空間が石に変貌したとき、
私は石に変貌せざるをえなかったのである。

（石原吉郎「望郷と海」）

二〇二〇年一〇月中旬の三日間、石山修武さんと中里和人さんとの三人で福島県南相馬市、そして平泉の毛越寺といわき市の白水阿弥陀堂を巡った。この時に中里和人さんの撮影の姿を初めて目にすることになった。中里さんが覗いているファインダーにどのように光景が切り取られているのかは、傍から見ていてもわからない。デジタルカメラの背面の小さい液晶モニターで写された画像を覗き見ることはあったが、厳密にいえば、それは中里さんが見て切り取ったものとは異なっている。撮影後に自分が見たようにすべく画像に手を加えると、中里さんは、帰路の車のなかで話してくれた。それはフィルムで撮影していた時と、変わらない作業だとも。

中里さんはその後も何度か一人で平泉に赴き、撮影を行っていた。そのなかの一枚が、雪に覆われた毛越寺浄土庭園の写真で、本書の巻頭に収録されている。「大泉が池」の東端から西へとレンズが向けられ、白から薄いグレーの色調を纏った庭園全体が柔らかく光り、そして音を、吸い込んでいるようだ。輝くかのごとき光を発し人々に安寧の希望を与える浄土ではなく、人々の生を閉じこめ仮死（時間の停止した世界）へ向かわせる、そのような浄土がこの画面には収められている。

奥州藤原氏、二代基衡によって、浄土庭園が造られたのは一一〇〇年代中頃。現代において当時の作庭の典型を完全な形で遺すという。握りこぶし大の丸石を敷き詰めた大泉が池は、州浜や荒磯なども表現され、海を模して造られた。日本海、そして太平洋の海路を使って京都との間で物資を輸送し、さらには中国大陸のみならず東南アジアとも貿易をしていたとされるので、藤原氏の一族にとって海の存在は日常的なものだっただろう。そして、海を渡って西に行くと、異なる言葉や習俗の人々がいて、別の文化を持っていることも。その海を越えた各地であまねく流通するものが、奥州の各地から産出される金だった。

　では藤原一族の女性たちは現実の海を見ることがあっただろうか。藤原基衡の妻は奥六郡の司・安倍頼時の後胤なので、奥州から出ることはなく、生涯遠目にでも海を見てはいないのではないか。川を下り、もしくは山を越えて平泉を離れ港まで出ることを生業とする女性は少なかったに違いなく、藤原氏の一族であれば、そんな生業を持つわけがない。船で北上川を下って石巻まで一〇〇キロメートル強。遊興で往復するには距離がありすぎる。であれば、彼女たちにとって浄土庭園の大泉が池は、創作されたものと理解をしていても、聞いた話と各地から持ち込まれた文物を重ね合わせる日々のなかで、現実として存在した仮の海だったことになる。

　その造られた海に雪が積もる。実際の海面に雪は積もらないが、中里さんが撮影した大泉が池の水面にはうっすらと雪が積もっている。現代と同様に、奥州藤原氏の人びとにとっても雪は冬の日常とともにあった。田畑や道を厚く雪が覆うように、浄土庭園も柔らかく白い世界へと変貌していく。北上川の流れは変わらない。その時、仮定としての海に人々はなにを見たのか。

　私は中里さんの写真を見つつ、自分の視線を九〇〇年前に存在しただろう人々の視線と重ね合わせようとしている。その人々は二〇二一年一月の光景を目にするわけがなく、私も九〇〇年前の浄土庭園を見ることは叶わず、視線を重ね合わすという行為が徹頭徹尾仮想でしかないことは理解もしているが、私の意識は出力された画像が表す仮定の海へと向かう。その画像も中里さんの記憶と感覚によって最終的な処理が行われる前のもので、出力も簡易で、写真作品として成立させようという作者の強い意志によってコントロールされてはいない。そのため、中里さんがフレームを定め露光を調節しシャッターを切ったことは確かなのだが、レンズが光を取り込み、カメラ本体のＣＣＤが受光し、現像ソフトがデータを処理し、プリンターが出力するという一連の機械的な作用が色濃く表されているのではないだろうか。ある雪の日の浄土庭園の光が、そのような物理的かつ機械的な変換によって、目の前に差し出されている。中里さんの作品として完成された際には（もちろん完成前の簡易な出力だとしても、画面には作品としての核が精妙に埋め込まれているのだが）、私は中里さんの視線のなかに入ることになるのだろうか。撮影した瞬間、画像データに手を加え作品として仕上げた瞬間、私が作品を見る瞬間。複数の時間と主体の層を貫いて、私は、藤原一族が創造した海を見続けようとしたところで、私のなかに事実は何一つ生まれない。

ここで問いが生まれる。「私は何を見るのか?」

現実の光景をまるで見たままかのように描写する技術として、陰影法と遠近法による西欧の油彩画と、写真とがある。油彩画は一五世紀に確立されたもので、その後、西洋美術の領域の中心に位置し続けることになった。写真の発明はそれから遅れること四〇〇年の一九世紀初頭で、写真は美術の周縁部に新規参入したメディアと見做されていく。しかし、日本において両技術の本格的な輸入と普及に関しては、時間的な差はほとんどないといっていいだろう。一八世紀に入ってから長崎に持ち込まれた油彩画を見た何人かが、独自に油絵具を製造して油彩画を描くことを試みてはいた。しかしその技術を確立するために教育のシステムが初めて創設されたのは、江戸幕府末期の一八五七年だった。この年、蕃所調所に絵図調方が設置される。もちろんその教師役となる川上冬崖は留学経験などないばかりか、外国人画家に油彩画を学んだこともなく、文献から独学で技術を掴んでいったのだった。一方ダゲレオタイプ写真はすでに渡来し、日本人によって撮影が行われ、一八五八年には上野彦馬が長崎で来日中のオランダ軍医官ポンペから湿板写真を学んでいる。この何枚でも紙焼きを複製できる技術が発明されたのは一八五一年だから、わずか七年後のことだ。この後、日本各地の人物、風景、風俗が撮影されていく。また、日本国内に居留する外国人から習うことで、油彩画の技術も精度が高められていく。

このように日本において油彩画と写真は、日本の近代化に合わせて共に歩を踏み出すことになったのだが、同時に西欧の思想による美術の体系もまた輸入・受容されたため、油彩画はその正統な技術を習得すべき学問として学校制度に組み入れられ、光と物質の化学反応である写真は工業および商業として速やかに確立し近代社会の一部を構成する。もちろん油彩画が多くの日本人に認知されるためには商業的な拡がりが必要だったし、性急な近代化のなか単なる二分法で話が収まるはずはない。

その絵画と写真の絡み合いを示す一つの例として、明治天皇の御真影がある。

広く国内に下付された明治天皇の肖像写真を「御真影」と一般的に呼ぶが、これは呼称で、「御写真」が正確な名称のようだ。権力者の像を一種類に限定しあまねく国内に流布することで、明治天皇についての情報を統制する。さらに、その像にまつわる儀礼を定めることは国民統治の術の一つとして機能した。その御真影は、まず日本国外にむけて必要とされた。肖像画も同様だ。開国によって本格的に始まった諸外国との外交によって、肖像画という西欧絵画の一領域も輸入された。国王、統治者の姿を描き宮殿に掲げるという慣例に付随されたもので、これに準ずることが近代国家の一員の証となると、当時西欧を視察した明治政府の中心人物たちは考えた。また、視察のために訪れた西欧諸国では、肖像写真の交換が盛んで、そこでは君主の写真も相手に渡す必要があった。

明治天皇の姿は、まず写真に収められた。江戸より続く和装ではなく、軍服を着て椅子に腰かける西欧化された姿が内田九一によって撮られたのは、一八七三(明治六)年のこと。この写真が最初の御真影として在外公館に掲げられ、来日した各国の要人や外交官に贈られた。

そして、この写真を元に、日本人画家、さらにミラノに住む画家のジュゼッペ・ウゴリーニによって明治天皇の油彩画の肖像画が誕生し、額装され宮中に飾られる。西洋的な近代国家の一員としての設えの一つが整うこととなった。

二一歳になろうとする明治天皇の公式な像が作られ、流布されていったわけだが、明治天皇はいつまでも青年でいるわけではない。また、江戸時代とは異なった新しい国の制度の確立した国家の元首、日本という家の家父長として相応しい姿が、天皇という存在の権威と役割を大衆に向って示すのに必要となってくる。

そこで、一八八八年、この年に三六歳になる明治天皇の御真影が新たに制作されることとなった。今度は写真を撮るのではなく、まず初めに描かれた。描いたのはイタリア人のエドアルド・キヨッソーネで、彼はその銅版画の技術の高さから紙幣寮に招かれ一八七五年に来日していた。以降、紙幣や切手の製作に関わりつつ、国内の要人の肖像画も描いていく。キヨッソーネは明治天皇の行幸の際に容貌を写生し、また、自分が天皇の正装を着た姿を写真に撮り、それらを組み合わせて、以前よりも口髭と顎髭を濃く生やし、ロココ調の椅子に腰かけて左手に剣を持つ座像をコンテによって制作した。このコンテ画を丸木利陽が複写し、写真による御真影が完成した。その後、全国の小学校に下賜されることとなる。

現在の美術鑑賞の観点からすると、二つの御真影の作者は誰なのかという問題が起きてしまう。最初の御真影は内田九一が撮影をした。しかし、内田九一の作品ということができるのか。誰かの手によって作られた限りは、作者個人の意思を排除することは不可能だが、当時の写真家という職業とその技術は、表現することよりも、なるべく鮮明に像を現わすことに特化されていたはずだ。二つ目の御真影は描かれたものを複写した。原画があるならば、原画を画家の作品として鑑賞すべきなのか。作品に作者の意図が含まれており、その意図を読み取ることが鑑賞になるからだ。しかし、御真影からキヨッソーネの意図を読み取る作業に、どれほどの意味があるだろうか。キヨッソーネ個人にとってのあるべき明治天皇の姿よりも、典型的な肖像の制作という技術が求められたのだろうし、キヨッソーネもそれに応えたからこそ、御真影として成立する。

とはいえ、絵画と写真という再現技法の違いを越えて、肖像にはそのような姿であるようにという他者の願いが色濃く投影されているものだ。和装の肖像写真を元に油彩画も描かれたが、改めて洋装の御真影が制作されたことにも、それが表されている。そこで、御真影というプロジェクトのプロデューサーがいたと述べたところで、そのプロデューサーすら形式を認識しているのみで、その形式を模倣する以上のことはできなかっただろう。そして、できあがった像に明治天皇の意志がどこまで反映されていたのかも想像しにくいものがある。明治天皇は渡欧していないので、西欧の風俗に直接身を浸したことはなかった。

御真影を見ることは、幾重にも入れ子になった空の箱のなかに真を見ようとするかのようだ。

この二つの御真影の間に、前述の通り、何人かの日本人画家が内田九一撮影の御真影を元に明治天皇の肖像を描いていた。政府側が油彩による肖像画を必要としていたと同時に、国内で視覚文化として一般的に認知されていない油彩画を見世物として普及していた時期にあって、天皇という権威を借りることで油彩画の地位を引き上げようとしたとも、十分に考えられるだろう。〈鮭〉の絵で著名な高橋由一も、その一人だった。二〇歳を過ぎた頃より、西洋画の技術を習得することを志した由一は、三八歳になる一八六六年、西洋人から直接指導を受けるべく横浜の外国人居留地へ行き、『イラストレイテッド・ロンドン・ニューズ』の特派員兼画家として来日し、居留地内で不定期の漫画雑誌『ジャパン・パンチ』を刊行していたチャールズ・ワーグマンに師事する。絵画技術を高めた由一は、写真を利用して油彩画を描きつつも、写真との差別化を図り油彩画という領域を確立すべく、数多くの風景画を描いていった。その風景には絵葉書のような名所だけではなく、近代国家へと変貌しつつある土地の記録として、整備された街の姿や橋やトンネルも含まれている。

この高橋由一をワーグマンに引き合わせることに尽力したのが、岸田吟香だった。何人もの洋学者を輩出していた津山に近い岡山県久米郡美咲町に生まれた吟香は、津山、さらに江戸で学んだ。儒学者の藤森弘庵の門に入るが、藤森が安政の大獄に連座したことで吟香も江戸を離れざるを得なくなる。その後、江戸に戻るも、仕えた挙母藩からも脱藩し、妓楼の主人をするなど、市井に身を落として過ごしていた。そのなか目を患い、治療のために横浜の居留地のヘボンを訪ねた。ヘボンの目薬によって快癒した吟香はその人柄に魅かれ、彼が進めていた和英辞書の編纂を手伝うこととなる。吟香は横浜へ、次いでヘボン宅へ移り住む。この家に吟香を高橋由一が訪ねた。辞書の完成後、吟香はヘボンより目薬の調合を教わり、精錡水と名付けて販売した。江戸時代の目薬は練り薬か粉薬しかなく、精錡水は日本初の液体目薬で、しかも確実に効用があることが評判となり、吟香は財産を築く。江戸横浜間の定期船運行や新潟での石油採掘、氷の製造販売など、近代化する社会に合わせて吟香が始めた事業がいくつかあるなか、もっとも重要なものは新聞といえるだろう。まず、ヘボンの家に出入りしていた頃より日本初の民間新聞を刊行しており、一八七三年には現在の毎日新聞の前身となる『東京日日新聞』の主筆として迎え入れられ、日本初の従軍記者として台湾出兵にも同行した。その後、横浜から東京へ移り、『東京日日新聞』を刊行する日報社の隣に居を定めた。現在の銀座二丁目で、銀座通り沿いの一等地と今は思ってしまうが、当時、煉瓦造りの建物に住むことはそれまでの生活様式とかけ離れており、一般的ではなかった。吟香はヘボンの家で馴染んだ西洋化された日常を続けることにしたのだった。生計は目薬の販売で立て、新聞という日本でようやく始まった情報産業の只中に身を置いて記事を書き、画家、写真家たちと交流を持つ。この吟香が妻の勝子との間に授かった一四人の子どものうち、吟香が五八歳となる一八九一年、九番目に生まれて銀座煉瓦街で育った男の子が、後に画家となる。〈麗子像〉を描いた岸田劉生だ。劉生の時代になると油彩画という技術は、自己表現と強く結びついたものとなっていた。そして写真もまた劉生とほぼ同世代の写真家の野島康三によって、絵画を模倣することから離れた独自の芸術表現としての写真が築きあげられていく。

一九〇五年に吟香が亡くなり、数寄屋橋教会の田村直臣牧師が吟香の葬儀を執り行った。劉生は旧制中学を中退後、田村牧師により洗礼を受ける。しかし、画家になる決心を持つとともに、次第にキリスト教の教理から離れていった。その後洋画家となり、印象派以降の西洋絵画の描き方で白樺派の友人たちの肖像を多数描いたのち、北方ルネッサンスなどの古典絵画の描き方に強い影響を受けて徹底した写実表現を極め、その後、東洋的な芸術表現のなかの美の探求へと向かっていった。

この西欧古典の写実から東洋的な美への転換期にあたる一九二〇年に、劉生は写実についての考察を文章に残している。それによると、まず自然の形象に美が備わっているわけではない。自然には美も醜もなく、ただ自然という事実があるだけだ。そこに人が「内なる美」によって、美を見いだす。だから美は元来無形なものでしかない。外界の形象と内なる美が一致し、それが表現された際に美が形として現れる。だから「内なる美」を持つ主体はあるが、結果として表された美は客観的なものだと述べる。

自己の内心を自ら造形化して表出しようとすると、主観が強くなり、写実という方法による美には至らない。作者の外界にある形象によってこそ発露する内心の美があるのだから、形象自体に美の理を探ろうとしても徒労におわるだけだ。だからといって、描く主体が形象を歪めてしまったら、そこに美は現われない。劉生は、壺や林檎や麗子を精緻に描いたのだが、壺や林檎や麗子自体には意味はなかったことになる。私は描かれた壺や林檎や麗子を、それをかつて見た壺や林檎、写真に撮られた麗子の姿と対照して、似ている似ていないを云々したり、そこに何かの象徴を読み取ろうとしてしまうわけだが、それは劉生の目指したところではない。私は描かれた形に、形ではないものを見なければならない。形のない観念に仮の形を与え、観念の依り代として機能させようとすると偶像になる。しかし偶像を創造することは、劉生が写実論で述べようとしたことから外れてしまう。御真影も、その原型となった西欧諸国の宮廷に飾られていた肖像画も、劉生の写実とは異なった世界にあることになる。劉生の〈麗子像〉は、愛娘の麗子のあるべき姿を描いた肖像ではなく、娘としての麗子は画中にいないと見るべきだろう。劉生の言うところでは、描かれたのは劉生の「内なる美」だ。それが麗子の形を纏っているにすぎない。劉生はこの後、写実的な要素の欠如によって美的効果が発生することを考察するようになるが、それによって写実を否定したわけではなかった。「内なる美」に形を与えるいくつかの道筋の一つとして、写実はあり続けた。

　この写実論を写真論に読み替えることは可能だろうか。

ファインダーを覗き、シャッターを切る主体は、被写体を直接加工することはせずに、光景を捉えようとする。その結果、物質の反応を経て、ある一瞬の光の記録が客体化された像として出現する。この時、被写体が特別な意味を持っているわけではなく、シャッターを切る主体が構図を決定するも、それは要因にしかすぎない。劉生に倣えば、撮影者の主観の不在によってこそ像がその意味を発することになる。被写体の意味も、撮影者の主題も語る必要はない。撮影者の創造性も、撮影された対象も消え、主体の不在によって露になった物質的な奥行きをもたない面が、外界との関係性を断たれた客体として、むき出しのまま提示される。しかし、そこには的確な技術が介在しないと、作品としては成立しない。切り取られたある一瞬の光景を構成する線や色彩の、対象自体が意図しなかった結合に、写真家の「内なる美」を見る。その見えないものを見るために、鑑賞者もまた細部を丁寧に見続けなければならない。

　もう一度、中里さんの写真に目を戻そう。毛越寺では、かつて存在した庭が記録を元に復元された。しかし、元通りであるかのように造り直すことはせず、一部は失われたままとなっている。例えば、大泉が池にかけられていたであろう橋は、再現されていない。橋を渡った先となる、池の北側に建てられたはずの伽藍もない。浄土という宗教理念を現実世界の事物で表現した結果としての構造物は消え、石や水や草木の自然物だけがそれぞれの時間のなかで姿と代を変えつつ、創建当時の設定を不確かに継承していく。毛越寺の歴史を振り返ると伽藍や橋が焼失してからの時間のほうが圧倒的に長く、数百年にわたって、この場所を訪れた人々は、たとえ水が張ってなくとも海として作られた窪みの一角に立ち、目の前にないものを想像し目の前の光景と重ね合わせようとし続けたはずだ。とはいえそれは、庭園が意味するもの、庭園のあるべき姿が共有されていた時代までのことだろう。二〇二一年の冬の日の中里さんの視線と脳裏には、橋と伽藍はない。その姿を求めようともしていない。ただ、石と木々と水面にレンズを向けることで、かつて伽藍があり、失われ、そして造り直された光景の持つ時間の堆積を感知しようとする。中里さんが夜景を数多く撮影するのも、この時間の堆積こそ写すべきもの、自身の内なるなにかと対照させるべきものと確信しているからだろう。闇のなかでこそ際立つ光の輝きを求めることはしない。かすかな光が物質の表面に降り注ぐ。そのことによって、被写体となったものたちは、それぞれの内部の時間を表面へと投影し始める。この物質が自ずと引き起こす現象を、写真として捉えようとする。日中の明るい光のなかでは見ることのできないものを求め、中里さんは夕闇のなかに身を潜め、仮の海に水が満たされるように、光と時間が溜まるのを待つ。さらに目に写ったものと、その場で見ようとしていたものと、カメラが機械として反応したものとのずれを補正することで、三者とも消え、不在の光と時間が立ち上がってくる。

1日目

多気町前村の大楠 → 平家の里上村
→ 金剛證寺 → 朝熊山頂展望台 → 猿田彦神社
→ 橋本平八・北園克衛生家 → 神宮神田

2日目

中里家墓所 → 韓神山 → 高麗広
→ 松阪市文化財センター「はにわ館」

第三章

今だからわかることは多いが、シャーマニズムの伊勢はどうか

黒澤明監督の『羅生門』は冒頭の映像が記憶に残る。他はそれこそ藪の中であり、良く解らなかった。恐らくは世界中の多かろう映画ファンも同様だったろう。今だからようやく解かる。黒白のモノクロフィルムであった。当時の黒澤明はほぼ完全主義者であり、商業映画であったけれど金と妥協しなかったようだ。冒頭の実に短時間に使用しただけの羅生門の撮影用舞台セットに金をつぎ込んだ。雨も降らせた。激しい夕立ち状の雨であり、その水量も膨大であった。映画となった雨水は本物の水であり、舞台セットの木造建築は、謂わば、まがいモノである。しかし、黒澤明はそのまがいらしきにあきたらず、限りなく本物らしきを要求したようだ。

奈良平城京跡を訪ねた。朱雀門らしきが正統な建築史家たちの手で設計されて在った。極彩色が施されている。

しかし、自分は映画の『羅生門』を見てしまっていたから、どうにも腑に落ちなかった。まがいであった筈の黒白フィルムの、半分は壊されていた遺跡としての羅生門に、はるかに感じ入った記憶からである。

今も現実に在る平城京遺跡は多大な金と知的エネルギーが投入されている。日本建築史最良の知識が投入された結果でもある。知識は集団のそれであり、個人の才に非ず。多くの研究者達の集団が長い時間をかけてのモノだ。

若い頃と言っても遂先立っての頃、坂口安吾が「日本文化私観」であったか、法隆寺は焼けて良い、跡は停車場にでもすれば良いと断言した。成程ネ、とも思った。坂口安吾は往時、米軍占領時の女性達が、全てでは無いけれど米軍兵士と腕を組みの庶民の生活力の根を信じたかったのであり、書いた時にはまだ庶民らしきが少なからず在ったのである。だから仕方無かったとも言えようが、二〇二二年の今はコロナ事変の只中でもある。世界中が一部の生産過剰の国の消費サイクルへと巻き込まれた。それで多くの地域が都市文明を中心とする消費市民となった。一九七〇年代の地球市民の理想は地球消費者でもあったが浮き彫りになったのだ。

中国大陸の都市も同様であり、独自なモノでは無い。毛沢東思想を反映した紅衛兵たちの造反有理は中国全土の歴史遺物を多く破壊した。わたくしも随所でその破壊の跡を体験した。今、中国大陸の都市の知識人たちは、あの破壊の跡を視て、「コレを又、復元するのに、途方も無い金を要するだろう」とつぶやく。

破壊は短時間で成されたが、中国らしく徹底したものであった。

坂口安吾の言説全てに反対するのではないけど、やはり法隆寺は焼けても良いとは言えぬのである。壊したモノは復元した方が良い。

その論理的根拠の大は英国のジョン・ラスキンに在り、小はウィリアム・モリスに在るが、列島住人としては、いいような、少しばかり切ないモノではある。鈴木博之『保存原論』を読んでの感想。黒澤明の羅生門の舞台セットとしての復元は、映像となり、一つの結晶ともなった。

セットは今も何処か富士山山麓に現存するようだが、訪れる機会は持っていない。

奈良文化財研究所の方に話を聞く機会があり、実に興味深い話をうかがった。

「日本の木造古代建築、例えば唐招提寺ですが、柱間寸法が皆、一定ではありません。少しずつ、微差があるんです」(ミリメートル単位のものではなく、数センチメートル単位の狂いである)。

木造古代建築は、アルカイックの美を体現するが良く言われる。アルカイックは古拙である。建設技術が未進化、つまりまだ作る主体としての人間に自由の域があるという事だ。

唐招提寺は日本列島を代表しよう古代建築である。法隆寺はより古いが、ほぼ中国建築古物の写しである。だから日本人の眼にはやはりエキゾチックな風がある。伽藍の平面配置が左右対称を崩し、非対称であるが日本的であるとも教えられた。単体建築の美としては唐招提寺金堂が日本古代の象徴だと解釈できる。その架構（構造）の平面寸法が、それ程に標準化されたモノでは無いのである。少しばかり同一が避けられている。意図的な作業からか、工事の困難からであったかは解らない。

近代の産である我々は、少し計り狂った寸法の架構を見ているのである。眼は眼球の穴から物体を脳へと伝達し、全て映像として記憶する。確かに唐招提寺は言うに困難きわまる昨今の建築群よりも、大らかであるように思う。大らかは自由の風雅であろうし、強張って言えば美である。

この感慨が教育・各種メディアから来るものなのか、自身内の裸形から来るのかは、これも解らぬ。

今だからわかることは多いが、シャーマニズムの伊勢はどうか　第三章

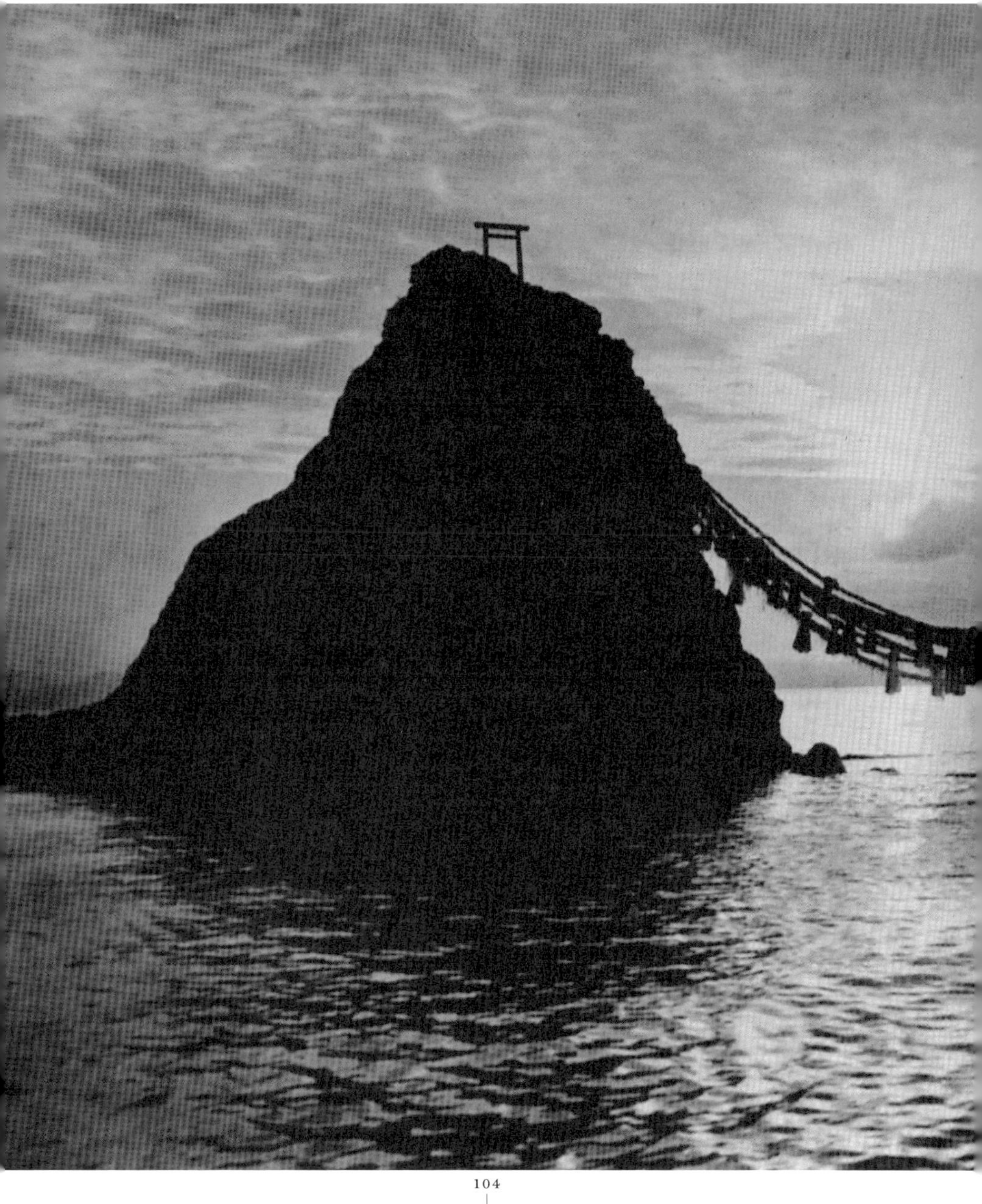

解らぬ故に解りたい。好奇心と何変わりはない。

各種寸法が厳密では非ずのモノを視て、オヤ、イイナと感じる自分がいるのは嘘でない。自分ばかりではなく、他の多くも同じであろう。野の花ばかりでなく、花屋の店頭の花だって、時には石コロでも、オッ、イイナと思うは嘘でない。それらは全て同一のモノは無い。ここで嘘を言えば、自分が崩壊しちまうのである。

黒澤明の映画セットの羅生門は、現存する奈良平城京遺跡の朱雀門よりも良い。勿論、映像としてである。

実物の木、柱であるが、これに触れて感ずるはそれ程に大ではない。会津八一の如くの歌人詩人の類だけだろう。丸《まろ》き柱にものをこそ想え、は、これは言葉の演技であり、嘘でもある。良質な言葉の組み合わせは、短く詠嘆である程に自己演戯の結果でもある。

黒澤明の羅生門映像は本物の架構体を超えていたのである。本物はほぼ精確に今、復元されて在るが受ける感動は別種である。より歴史への知識の実物媒介の機能として在る。直接に我々の感性に働きかけぬのである。この力は黒澤明個人の才質によるモノではあるが、我々にもそれに反応する力が在る。

思い起こせばアレは廃墟であった。予算に限りが在ったばかりではあるまい。羅生門の半分は崩れて作られた。石造の廃墟に酷似していた。黒白映像が良くそれを伝えた。

世界に多くある遺跡は廃墟であり、壊れているが多い。木造建築は残り難い。木は腐るからだ。礎石の石コロの配置を視たり、更には地層に埋もれた形跡を眺めるが多い。

石は耐久力があるので、壊れても残る形跡は姿として眺め得る。違いは在るが、大きくはない。

何故ならば、その大半を今の我々は映像で視るからだ。観光と呼ぶ旅も又、旅であり重要なのだ。

人間は記憶する者であるから、我々は膨大な映像を再確認するために旅をするようになった。極論すれば、黒澤明が偏執した映像作りの道具でしかない舞台セット作りのようなモノへの関心は我々の内に全て在る。普遍であろう。

黒澤明の羅生門セットを探し当てて、今、富士山山麓を訪ねる意味はそれ程に無い。

ただ、ガラクタを視るだけである。

恐らくは時代考証らしきの真似事らしきはなされたであろうが、素人の域である。今に通じる舞台セット職人が混じり、手早く、裏の撮影に写らぬ部分は省略されてもいたのであろう。それを黒澤明が嫌ったとしてもマガイものではある。

人工のマガイものは映像に写されると別種の域に達するのだ。時に生霊をさえ生む、そう呼ばれるだけの力を持つ。

全ての風景は自然物と人工物、工作類が入り混じった映像として、人は記憶する。

夢の大半は動く映像である。自分がみる夢は音を伴なわぬ。無声映画状だ。人物は多く登場するが声を言葉として発したりはしないようである。それでも時に会話らしきが確かに成立する事もあるようだ。幻影が音を発する筈は無い。夢は多く記憶から産まれるだろう。時に視た事も無い未見が登場し、その背景の風景らしきも在りはする。確実なのは決してそれに触れられぬ事である。物体に非ずだけが在るの逆説も在る。性的な夢による各種具体物分泌もあろうが、具体物との交合からのモノではない。映像との交換の結果である。つまり、映像は時にそれぞれの肉体を具体として動かすのである。映像のコレハ力である。この力を生霊と呼ぶ。人間の普遍として在る感動の、気持ちの力である。気持ちには身体の極深を震動させる力が在る。

この力は常に連続して働くモノでは無い。それぞれの人間に普遍として在るが、個別としても在り、これを個性と呼ぶ。普遍として在るが個別としても在る。不連続である。

ナチスの宣伝相であったゲッペルスは宣伝の達人であった。宣伝の根本は扇動、動員である。アド

ルフ・ヒトラーはワイマールのエレファント・ホテルの二階バルコニーでの演説を好んだ。ホテル前の広場の大きさは一万人程の集団のキャパシティであった。彼の肉声は高く、良く鳴り響いた。ヒトラーは自身の身体の楽器としての性能を良く自覚したから、一万人程度の限界も知っていたろう。その限界は宣伝相ゲッペルスの諸々の技術によっても拡大されたのである。大きな資金をも必要とした。ベルリン・オリンピック記録映画にその集成の一端を視ることが出来る。ヒトラーお気に入りのシュペアーは物体としてもそれを表現したが、アレはナチスの誇大広告だつた。

映像は人間普遍のアニマ（生霊）を内に持つ故に神秘の崇高と危険を併せ持つ。

地殻の立体的諸運動が作るが山であり、山の裸形が岩山である。海洋に在って最小類は岩峰となる。二見浦の夫婦岩は日本列島で最も有名な陸地間近な小岩群である。

再び訪ねてみれば、幾つもある波打ち際の小岩を二つ選び、それを対の夫婦と名付けたものだ。その命名は人々の功であった。車で近くにはこれも又、神石と名付けられた夫婦岩より更に小さな岩石群が森の中に在り、多数から五つだけが選ばれて、小さく注連縄が張られた遺跡がある。伊勢大社別宮の一つに間近である。大社は神話らしきを背負う謂わば弥生時代農耕定住民の米の貯蔵倉庫からの建築形式だろう。素寒貧な木造米倉であったのに鰹木やらが装飾されて、格差を施されたのである。がしかし、間近に五つと限定された小岩群遺跡を持つ故に、大社造りの本来の意味をより深く暗示する。深からず、浅からずの森の中の乱雑な配置の岩石群にしか過ぎず、遺跡からは小さな谷が開けその明るみの内に別宮が在る。別宮はこの五つに選別された小岩群と明らかに関連しよう。古代人の神観念の内で関係付けられたのだ。神観念も又、想像力の一種である。

興味深いのは無数とは言わぬが、多数から五の数が選ばれた事だ。今も世界の我々がほぼ共有する七曜、すなわち、日月火水木金土はキリスト教から来た。キリスト教徒たちの定説である。日曜日の日は安息日であり、多くは休むとされる。コレハ、神が万物を創造し、働き過ぎて疲れた故の休息の時であったとされる。キリスト以前のノア老人も又、日曜日には休んだのであろうか。

原キリスト教では十戒の十、七つの大罪に伝えられる如くに特別な数字を特異なモノとした。星座はオリンポスの山の上空の有様の叙述の端部である。人間が無数の星々の散在から遠近を無視して選択配置した仮の平面図像である。

全ての星座が数と関連するのではない。が良く人類に流通した物語りの反映として、北斗七星すなわち大熊座の七ツ星が在り、コレは別体系の物語りを編んだ中国文化の神話にも登場する。殊更に強い図像としての力を持つ。欧米ゆずりのスタイルを持つ俗界のホテルだって星の数で格付けされている。数は格付け、すなわち選別をそれ自体の内に好むのである。謂わば人間の心象の規準器である。数学は抽象と具体の境界線の無窮の旅である。

ここでは五つの岩石が選別されたが、その選別の基準は不明である。一つの岩石だけが大き目であるが殊更な形状の特異さは無い。他の岩石の選択の特異も見ることは出来ない。シャーマンの気まぐれとしか考えられず、である。五の数を選んだ、選ばれた事の方が大事であったのだ。

無数に近い石の数から強引に一つだけを選んだのが岩座と称される岩石であり、大和三山を中心として、無数にある。三の数が振られた三輪山山中にも複数あるが、全て孤立しての一つである。人の象徴記憶力は一つに集中するが容易である。複数の選択はより困難である。ただの出鱈目に接近してしまうからだ。しかし、一に集中してしまうよりもより穏やかな共有性を持つのは確かでもある。

眼に視えぬは音である。西欧音楽は五線譜に記される事で、気まぐれに過ぎぬ音の混沌に、目にも視えるように秩序が与えられたろう。音符としての記録化にも進んだ。五線譜の基準が何故五の序列であるかは知らぬ。一線譜では天地に似て細妙さのそれでも秩序が表記不能であったか、自分には不明である。

ただ解ろうとするのは、その場所でのたった一つを象徴する気持ちの動き傾きよりも、複数の数の選択がより複雑で好ましいと想う事である。他人の眼をおもいはかる弱弱しさ、受容力と言うしかない。

五つの岩石を殊更に選別したはシャーマンの仕業である。小集団の合議からではあり得ない。シャーマンにも多種多層があったろう。

伊勢の海も山も森も川も熊野には間近である。小集落には熊野へ、伊勢への石の道標も残されている。熊野は役行者伝説の基点らしきでもある。
近長谷寺には巨大な大日如来と覚しき立像が在る。一五軒程の檀家が今も守り、急な山道の登り口に日本修験の会、奉納の小さな木の鳥居がある。巨大な大日如来立像は、これ程の巨大を山上に迄良

く運び上げたといぶかしむばかりだ。
吉野の蔵王権現堂には三体の巨大象があり架橋の柱はそれぞれ樹の種類を変えて意匠されたと言われるが、私感ながら神秘性らしきには欠ける。欠けていると感じさせたは近長谷寺の立像を体験したからだ。比較できて、ようやくにして、修験道、すなわち山の原宗教の端部を感得し得たように考えた。

吉野は平城京、平安京に程近い、南北朝時代には政権の一部一端さえ移転した。貴族文化は必然として中心を希求しただろう。最大の中心が天皇である。貴族階層は今からはコレハ天皇を巡る官僚階層である、直接に暴力、すなわち武力を持たぬから、階層自体を保持、持続するためには、実に複雑な統治システムを用心深く用意せねばならなかった。貴族の階級は実に微にわたり細分化して区別された。

藤原兼実の『玉葉』にその細部が詳述されている。着衣の色、形他まで決められていたし、それらを総合しての儀式が形式厳密に定められていた。つまり貴族とは不労働の人々であり、他を管理するの官僚階層であった。そのシステムを自己保持連続させる、内のシステムであった。神秘はない。神秘は天皇一人に集中させねばならなかった。貴族数が余りに多かったからである。天皇の前身はシャーマンだった。その存在を保持するのに小さからずの官僚が在り、それを動かすに精妙な諸々の儀式群があった。

つまり、五つの石の選択の神秘である。シャーマンはここでは一ではなく五を選ばねばならなかった。一の象徴は強いが脆いのである。大和三山は畝傍山、香具山、耳成山の三だ。別に三輪山山中には多くの名代としての石が単独にあるが、それはより広くに無数に近く在り、在った。膨大な数の単独であるからこそシャーマニズムの外へのシステムとして力を持ち得たのではないか。

3

多気集落の古街道沿いに中里和人生家が在る。集落は近くの産の瓦葺き屋根の集合だ。中里の祖父は彼言うところの山師だったらしい。山を歩き廻り何やら飯の種を拾い集めた。山伏し、修験道者の風があったのである。その風は中里の風貌に今に引き継がれている。

古街道は今、かさ上げされて舗装され車の通り道である。家の前に座れる程の石が幾つか置かれている。昔は、つまり彼の少年時代には街道沿いの家々の人が、日の暮れ時に集まり、石に腰かけて時を過ごしていたそうだ。

程良い距離の実におだやかな低山の連なりがある。山が低いのは、ここが海岸線間近で小さい平野状であるからだ。遠浅の海がそれでも太古隆起して穏やかな平野を作り出した。少しばかり南はリアス式海岸の志摩海岸である。小さな距離に過ぎぬが地殻は断層により微地形を作り出す。

フォッサマグナ地帯の間近には、列島では比較的に高山である南北アルプス、八ヶ岳が在るが、伊勢間近の山々は皆低く浅い。

西行法師が、何ごとがおわしますかは知らんが、何やらありがたく、涙をこぼした。伊勢は低山である。低山であって森は浅かった。今の伊勢内宮の森は殖林による。西行が詠んだ伊勢の森はまだ成長途次の浅く明るい森であったろう。

西行は鎌倉期の東大寺大仏殿の再建に際し、大勧進であった俊乗坊重源に頼まれて、勧進活動を助けた。勧進は集金活動である。

すでに鎌倉時代には伊勢の山々、熊野にも大木、巨木類は稀少であり、巨木を必要とした重源は西の涯《はて》周防（今の山口県）まで巨木を得るのに人々を山入りさせねばならなかった。巨木は得ても、運ぶのが更に困難だから、その運送には瀬戸内海を利用した。内海は巨大な運河として使われた。それ

でようやくにして大仏殿は再建された。西行は勧進を助けるのに東北に迄出掛けた。平泉の藤原一族の金が目当てであった。今の気仙沼には金売り吉次の末裔やらが居た。実に用心深い実業家であり、先祖を語ることはしない。

俊乗坊重源は「南無阿弥陀仏作善集」を記録として残し、その冊子には周防にて得た巨木を二本中国大陸へと寄贈したと記されている。

すでに中国大陸には巨木が稀少であった。皆燃やしてしまったからだ。燃料として、今の大陸は全てに近く大樹林は無い。岩山、ハゲ山、そして砂漠、荒地が大半である。多雨地帯である南部雲南省の山々にも大木は無い。中国大陸に巨大木造建築が少ないのはそれ故である。

今の中里家の前の石に腰かけての山並みはいかにも低い。そして森も深くはない。

だからこそ、人間くさく、人々の営みが間近に反映されて懐かしい風が在る。人間はチベットを除き、それ程高い山々高原には住み付き、暮すを好まず、身体もそれに適してはいない。心肺機能が弱いのだ。鶴はヒマラヤの峰々を越えて飛ぶ。心肺強大であり、眼を中心とする方向認知の力も余程、はるかに人間のそれを超える。

鳥の羽の動きを真似ようとしたレオナルド・ダ・ヴィンチの人力飛行機のアイデアは、遂に成し得ず、失敗したの歴史が良く物語る。人は鳥に及び得ぬ生体でもある。人間は森を燃やして文明らしきを築いたけれど、古来の筋金入りの文明地帯はエジプト、ギリシャ、メソポタミア、インダス、長江と全て今は砂漠に近く、荒地である。

中里家の縁側ならぬ縁石に腰かけて間近の山の姿を眺める。墓石の一つ一つは識別できぬが、墓地としての群れは視える。村外れの径から旅人らしきの影がゆるやかな坂を降りてくるの図の如くである。

山際に墓地を選んだは、どうやらアッチからコッチを視てもらう為のようである。アッチは死者の世界であり、コッチは生者の生活の場所である。

自分の母の故郷の墓地もそれに近かった。古墳らしきの丘の斜面に村落間近であった。祖父の葬儀は土葬だった。木製の樽棺をオジ達が家からかついで田の中の畦道を行列した。自分も列に連なった。何年か経ち再びオジ達は土を掘り返し、骨を洗って骨壷に納めて、又、土中に戻し標識として石塔を立てた。それ迄は土饅頭であり、木の卒塔婆であった。卒塔婆の語源はストゥーパであり、他ではない。小さな土饅頭と小片の棒状様式が原型である。その慣習が一律に失くなったは近代の衛生観念の産物である墓地法の制定からだ。死者は焼かれ煙となり焼却炉の煙突から天に昇り、墓地は家々から遠くなり認可された区域に集合化したのである。

つまり、墓地は近代の産物であるが今の根本であり、その歴史を辿れば人口増加と土地の狭小の関係の産である。

そして、中里の家の墓地はその境界線上に在る。死者が今の生活を見られるように、生者も又、それを標（式）として視えるように在る。

故郷の観念があり、列島に於いても盆になると多くの人々が旅の行列をなし墓参りに帰省する。孫たちは祖父、祖母に会い、祖父祖母は会うを楽しみとする。故郷は先祖の墓の在る場所でもある。

ドイツ、ワイマールは死者の都市であると呼ばれもする。ゲーテ、シラー、ニーチェ他の偉人達が皆、そこに戻って死者となった。偉人たちの歴史ばかりが歴史なのではあるまいは当り前の事だ。死者を含めた民主主義を唱えたはG・K・チェスタートンであり、ニーチェ批判者であり、カソリック信者であった。ヨーロッパ文化はキリスト教文化でもあり他ではない。

では非キリスト教者たちがヨーロッパ文化を学び、範ともしたはキリスト教文化史を学習するが、ほぼ中枢であった筈だ。それに異を唱えるは愚者である。しかし、我々はキリストを空白として学んだ。仕方ない事ではあった。文明とはそんなモノであろう。文明・文化の境界線は在るだろうが、判

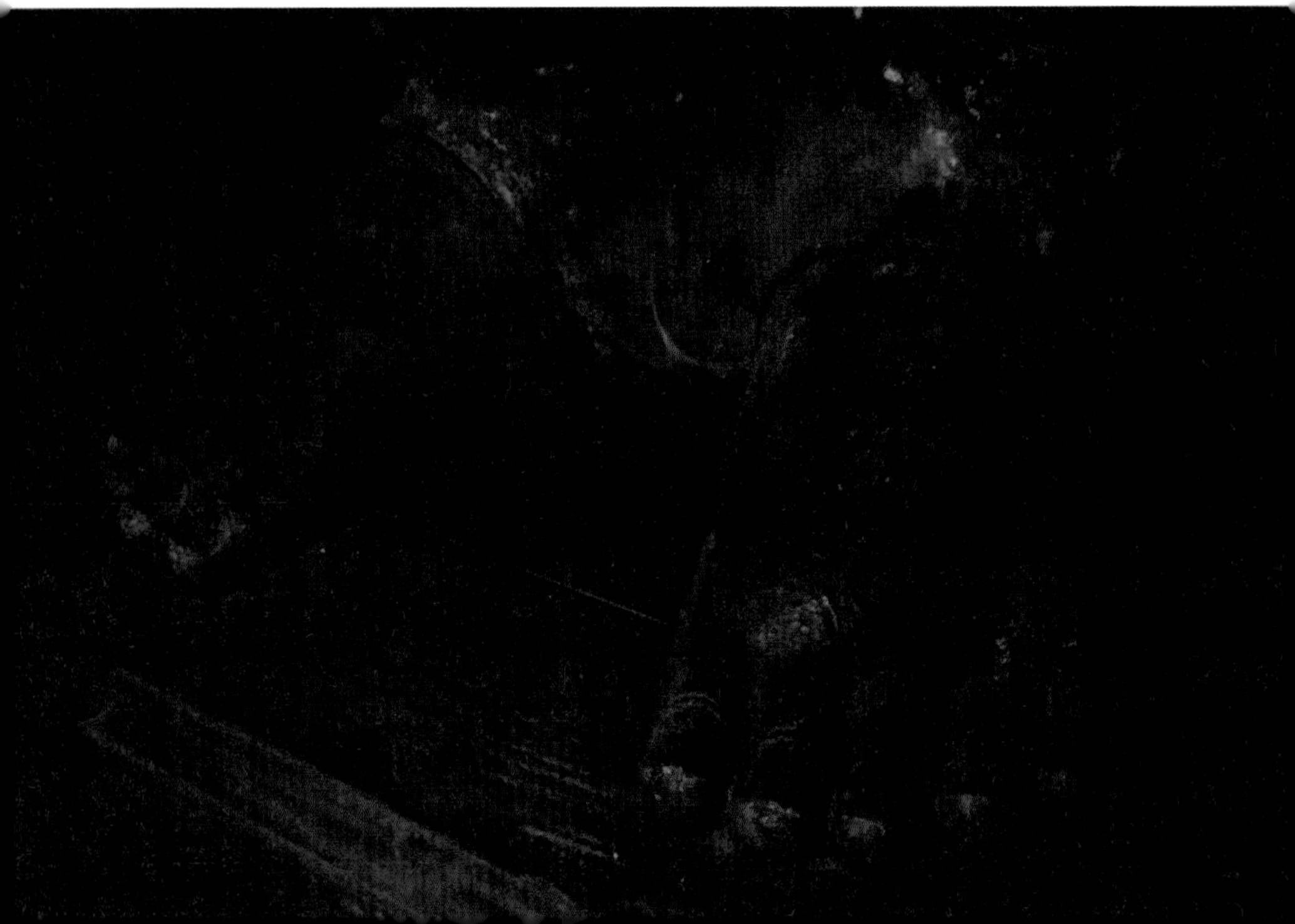

然としない。

ただ、故郷観念は自分の内にはまだ在る。祖父、祖母を記憶し続けるからだ。記憶の持続はコレは愛情らしきなのだろう。

キリストは残酷に殺された故に偶像ともなり、ヨーロッパ文化の中枢である。自分は故郷を持つが、仏教徒ではない。友人は別としてと釈明せねばならぬが、今の僧たちの現実も知るからだ。

専門職としての僧職者は怪しいの考えからでもある。徳川政権の檀家制度がこのウヤムヤを作った。日本的仏教の一派である浄土教に繋がろう、山中他界の言葉がある。山中他界と故郷観念は同じモノであるか、考えてみたい。中里家から視える山裾の墓、つまり死者と生者との関係でもある視る視られるは、生者の眼玉の問題である。視力の問題であり、視力と距離の問題でもある。中里家の墓と家の距離はすでに近代に入ってから生まれたモノであり、前近代までは恐らく連綿と続くモノではない。

すでに糸魚川縄文遺跡復元に視た如くに縄文時代集落は五〇親族を超えぬ程度のモノであり、死者数はそれでも生者数を上廻るものがあったろうし、集落外にはほぼ野生の森や川、良く陽の当る場所、いつも暗い場所と土地は広く充分にあった。でも、どうやら人々は死者を集落内の小広場に埋めたようである。死者の上の地表で暮した。ただ身近に置きたかったと考えるしか無い。つまりは距離の問題ではある。ただし、土中に埋めるは眼の問題外でもある。死者の体は腐乱する。異臭を放つ。それを視る嗅ぐに耐えられずである。近代の墓地法の唯一に近くの合理である保険衛生尊重の考え方である。

稲作農耕が生活の素である食料獲得を定期的にして、東アジアの人々は定住生活を始めた。かと言って全てがそうであったのでは無い。我々の近代に比して前史時代は余りにも長大である。近代の尺度は通用し得ぬ。動物進化を眼で視るが不可能である如くに、静止、不動のモノとの関係の如くに、眼に視えぬ変化を重ねたのである。万年単位の時間、まして億年単位の時間と近代の時間との間には歴然と大きな境界が存在する。

浄土宗の開祖とされる法然の言葉に「山川草木皆響き在り」がある。二章で述べた平泉の浄土式庭園の、男性による平安時代の感性を寸言にしたものだ。男性ではあるが特殊な坊主であった。手に職を持ち喰べた人ではない。その点では浄土式庭園の発注者であり指示者であったろう女性貴族たちと同様である。感性において両性具有者のキライもある。

伊勢大神の神明造りは女帝持統天皇の指示による。神明造りは天地根元造りともされ、ことさらに権威作られた。何故ならば法隆寺の直接的な中国式を避けようとしたからである。建築史家渡辺保忠はその造営期に疑いを持った。ことさらに古くへ、古くへの記録の作為があるとした。今に言う公文書偽造である。神社建築様式研究の中心であった稲垣栄三も、それに対しての否定はしていない。殊更な言明も出来ぬのである。伊勢大社については、何事かおはしますとは知らねども……のタブーなのだ。

将軍の美学、つまりは徳川家の墓、霊廟である日光東照宮の美を、伊勢大社を代表とする天皇文化の美として東洋のパルテノンとしたブルーノ・タウトは、書いた頃はアメリカへの亡命途次であった。ヒトラーのナチズムからの亡命である、のを忘れてはならない。天皇の美学として殊更に称揚せねばならなかったのである。

亡命者の、しかも大戦直前の心理を列島人は理解し得ぬ。想像もつかぬ深い恐怖の内にもタウトはいた。天皇はすでに京都から江戸城へと移っていた。

活火山はたしかに爆発音を響かせよう。しかしながら法然が言う、山川草木の響きはまさか爆発のそれではない。

法然の響きのアナロジーは禅僧のワケ知りの厚顔振りではないだろう。

日本列島の近代はほぼ一五〇年の短期である。

フォッサマグナを始まりに花火の如くの短い旅の区切りに二見浦の夫婦岩を再訪し、中里家近代の、それでも古民家を同時に訪ねたのは巡り合わせとして良かった。列島の山岳や谷の成り立ちと、山の姿を眺めながら暮した人々の生活を共に眺める視界らしきが準備されたからである。

地形は、そこで暮す人々の生活のみならず、深く気持ちの奥底らしきをも育てる。

旧街道沿いの中里家の前に置かれた、座るに程良い腰かけ石は、近所の人々のコレハ、縁側であると繰り返したい。時に見ず知らずではない旅人も共に座っただろう。旅は古来からのモノだ。低い山の姿を眺めながら座り込んで、一時を過ごしたと聞く。山の姿の裾際には先祖伝来の墓がありそれも視ながらの時を過ごしたのである。

死者に生者の姿を見てもらい、生者も又、死者を山の姿の中に視たのだ。

視るは、視られるを深く欲してもいるだろう。どんな種の人間が写真家に成り、時にそれにあき足らずの越境を試みようとするのか。実に作家らしきの個性は何故、生まれ育つのであるか？　全てを解るは不可能であるが、そう考えてみるのは実に面白いのである。人間も社会も多様であるは今の定説である。

定説は俗につながり、正しくもあり、又同時に怪しい。

自分の考えでは良い写真家の眼は独特であり、同時に少なからずの人々の関心を得る。

その少なからずの集団の広がりが問題を含み続けるのである。

日本の近代建築の歴史は近代史の短さに同じである。

一九六〇年代に丹下健三設計の東京オリンピック室内体育館を山々の突頂として得た、二〇世紀の建築はオフィスビル群により象徴されようが、それはアメリカ文化の内に実現された。ミース・ファン・デル・ローエのシーグラムビルであり、ミノル・ヤマサキによるＷＴＣビル、ツインタワーは、その亜流下であり、二〇〇一年にテロリズムにより破壊され消失した。イスラム原理主義者たちは資本主義の偶像としてＷＴＣツインタワーを選んだのである。

アフガニスタン、バーミヤンの巨大仏像爆破、破壊と同じである。イデオロギーは教条の不自由でもある。巨大過ぎる物体、大量に複製される時にはすでに様式としては終末を迎えている。

丹下健三設計の東京オリンピック室内体育館は勿論、公共建築である。税金により記念碑として建設されたの限界はあろう。公共建築が近代建築様式として結晶されるばかりではあるまいが、その可能性を探究するは、次世代、次々世代に希むしかないけれど、技術と芸術の溶融物として出現するにちがいない。どのような力の表現物となるのかもわからないし、集団としての命名物か個人のそれかも知り得ぬが、作品として出現するだろう。

すでに在る東京オリンピック室内体育館は時代が共有する作品として、保存、再生、が未来の問題として残るが保存再生はされるべきである。短くはあったが日本近代の象徴の一つでもある。人工のモニュメントとして在る。一時代を記憶として残すに足る物体であった。

明治神宮の森も又、人工の森である。森は更に人々の都市生活の安息の場である。これも又、より以上に保存再生の持続が不可欠だろう。神宮の森はすでに時代の精霊らしきも宿るからだし、生命維持の大きな有機体としての価値は計り知れぬのはコロナウイルス事変を強く体験しつつある我々が共有する価値観でもある。森は今、すでに人々の共有せざるを得ぬ芸術作品である。

写真家中里生家と墓の在る山の姿との関係も又、深く芸術なのだ。共有するが望ましいけれど、不可能であるやもしれぬ。それは写真家の写真技術と関係するが、今のところの写真家の関心は深く神秘に傾き、非俗である。映像を対象とする技術の一つに沈降し続ける、芸術の一端であるが、その限界をも示していよう。

二見浦夫婦岩は在るがままの自然の姿の断片であり、同時に人々が保存育成した再生物でもある。

大きめの岩と、小さめの岩を夫婦に例え、わずかな距離に注連縄を張ったのはコレハ近代の人間たちの仕業である。岩や石に神秘らしきを視ようとする欲望は古来人間に固有な普遍であり、シャーマンの装身具やイタコの石コロにも視られるシャーマニズム、その根源としてのアニミズムの表われである。

東京オリンピック室内体育館の金属ケーブルの吊り構造と夫婦岩の対を結ぶ注連縄の類似を言うは愚である。しかしながら設計者丹下健三がその設計の初発に、ヨシ、コノアイデアでヤローと決断した創造の駆動は歴然として作家のアニミズムからであった。

他の丹下健三作品群には見られぬ特異が在る。

二見浦の夫婦岩に張られた注連縄は深くは地域の人々の工夫によるが、観光客誘致の実利からでもある。夫婦岩までの海岸沿いの参道には松並木も整えられ、かつての妓楼も交えた旅館街、おみやげ物売屋が並ぶ。観光地名所の典型である。

かつて、教師時代に研究室に「おみやげ物研究」をデッチ上げた。日本各地のおみやげ物の売り上げを中心に調査らしきをしたが、名古屋、伊勢の赤福は、広島、厳島神社の、もみじ饅頭をしのぎ、横綱クラスであったの記憶がある。やはり伊勢の御威光は強いのである。

厳島神社のご神体は瀬戸内に向けての鳥居の逆方向の後ろ山であり、やはり岩がゴロゴロと散在している。内海と山を結ぶ軸線が厳然として在り、その強い軸線は近代建築家丹下健三が東京計画に於いての未来都市プランにも強く表現された。東京計画においては都市計画のスケールにも強い軸線が設定され、富士山と皇居が意識されたのである。岡本太郎はその皇居の位置に、お化け都市を描こうとした。

丹下健三と岡本太郎は強く時代が欲する芸術として補完関係にあった。恐らくは極めて短期間の内に世界に稀な対の表現活動をしたのだった。この補完関係は多く指摘された。縄文と弥生の列島内での対であった。より拡張されるべき可能性があるが、別項にゆずる。二見浦夫婦岩の対の注連縄の先には軸線の先に太陽の昇るがあるようだが、コノ軸線はほぼ偶然に近く、周辺地区の人々の発見によるモノだ。

多くの観光地の最大最強は日ノ出、日ノ入の時間である。世界中のありとある遺跡群の配置、軸線はそれに向けて構想されたが多い。

山の姿は太陽の運行の背景でもあり、一種の日常生活の定点観測の基準儀でもあった。月や星々の運行への各種気付きはそれに従うモノである。その気付きの結晶は芸術作品として作られたり、観光地のおみやげ品として流通したりもする。同種である。

観光地のおみやげ商品群は、それら風景の総合産品でもある。地域固有なモノは少なくなってはいるが、芸術家の作品同様に文化として貴重である。視線を凝集させる努力を介して眺めれば、その姿形の奥深くに、コレも又、シャーマンの感性の働きを視ることができよう。観光地に必ず、普遍として在るおみやげ商品群には完全な商業活動の端末として商品化されるモノが多数を占めるが、それでもその力に一律化、標準化され切れずの影を持つ一群も対比として在る。

例え、それが地場産品としてではあり得ずに中国製のモノであったり、東南アジアのまがいモノ生産の工場産品であったりしてもである。これらは今に生きるアニミズムの現代の露出なのである。

わたくし自身にも、宮崎県で入手したアフリカ製が唄い文句の小抽斗し三角箱の入手体験があり、やはり歴然としたアフリカ産の偽物であった。しかも、どうやらフィリピンの偽物生産工場品だった。時に偽物は本物よりもダイナミックに動き流通するのである。大きい風景と小さい物体を往還する旅は更に進めたい。

いささか尻切れトンボの終章にはなった。伊勢は繰り返し考え続けるが、渡来人の遺構を考えざるを得ぬ。

石を抱いて山を登る

野田尚稔

枯れ枝の山のくづれを越え
水茎の長く映る渡しをわたり
草の実のさがる藪を通り
幻影の人は去る
永劫の旅人は帰らず

（西脇順三郎「旅人かへらず」）

松阪市に隣接する多気町にある中里和人さんの生家を拠点に伊勢神宮周辺を巡るなか、朝熊山へ向かった。四月の初旬としては暑すぎるほどの陽気で、山腹のところどころには薄いピンク色の花を咲かせた桜の木が点在する。木々の葉の色は淡く、大気はほのかに霞んでいた。伊勢志摩スカイラインの伊勢側の入口から車で登っていくと、山頂の展望台の手前に金剛證寺がある。六世紀に開山され、現在は臨済宗の寺となっているが、空海が掘ったという謂れのある池を中心とした浄土庭園があり、密教修行の道場だった時期もあったらしい。伊勢神宮の鬼門を守る寺ともされているそうだ。朝熊山そのものが霊山として信仰の対象でもある。その山頂付近の開けた一画が敷地となっている。二十数年前、学生時代に一度朝熊山を登っているのだが、金剛證寺のことは覚えていない。きっと訪れなかったのだろう。中途半端な計画で旅をして、見るべきものを逃すのは今も変わらない。石山修武さんは浄土庭園の正面に座りこみスケッチを始めた。江戸時代に造られたもので良い出来ではないが、それはそれとして考えるべきものがあったと、後で話してくれた。中里さんは各所を撮影している。私は境内をあてもなく歩き回り、何度目か仁王門を見上げたときに、金剛力士像に改めて目を止めた。像の高さは二メートルほどか。表情や四肢の筋肉の表現で威圧感を出しつつも、体躯に対して顔が大きく、全体的に丸みが強調されて、大きく見開いた瞳にはどこかしら可愛らしさがある。仁王門の寄進者となる企業の名前が入った石柱が脇に立っていたので、像もそれほど古いものでないと思われる。

金剛力士像が気になったのは、その数週間前に長野の善光寺で見たものが印象的だったからだ。

長野行は、この石山さんと中里さんとの旅とは別の個人的なもので、その境内に隣接する長野県美術館で松澤宥展を観ることが目的だった。松澤宥は一九六〇年代よりコンセプチュアル・アーティストとして活動して名が知られ、二〇〇六年に亡くなっている。諏訪郡下諏訪町に生まれており、生誕一〇〇年を記念する展覧会が長野県で開かれることとなった。一九六四年に「オブジェを消せ」という啓示を受け、以降、言葉とパフォーマンスによる作品を中心に発表していたのだが、大学では建築を学んでいた。卒業制作は芸術家村の設計で、卒業後、建築事務所に入るも、二年後の一九四八年に帰郷し、定時制高校の数学教師となり、六二歳まで勤めてもいた。松澤は学生時代より詩を書いており、一九四九年にガリ版刷りの詩集『地上の不滅』を一〇部制作する。その内の一部を詩人の北園克衛に送ったことから、詩「MANNEQUINに就いて」が北園が主宰していた前衛詩の同人誌『VOU』に掲載された。『VOU』での松澤の詩の掲載はこの一度きりだった。北園克衛は、本名を橋本健吉といい、朝熊山の麓、当時の名称で朝熊村、現在の朝熊町の出身なのだが、これについては後で触れることにして、善光寺に戻る。

美術館を出て、偶然展覧会場で出会った大学時代の恩師と善光寺の境内を歩いて抜けようと仁王門をくぐった。金剛力士像は高さ六メートル近い立派なもので、東大寺南大門の金剛力士像を彷彿とさせる、身体の内側から表皮を押し出すような張りが全身に見られる。と同時に鎌倉彫刻とは違う量塊感があり、なにか中身が詰まっている印象を受けた。立札を見ると、仁王門は一九一八年に再建されたもので、金剛力士像と背面の三宝荒神像、そして三面大黒天像は、高村光雲と弟子の米原雲海の合作と書かれている。大正時代に制作された近代彫刻なので、鎌倉のものと印象が違うことは納得がいくのだが、このことを友人の木彫家に伝えたら、彼も見に行き、興味深い話を教えてくれた。

善光寺の金剛力士像は、まず米原雲海が油粘土によって原型を制作しているという。そこから作った石膏原型を基に五センチメートル角の檜材のパーツを作り、さらに二〇センチメートル角のパーツへと拡大し、組み上げていった。私の中身が詰まっているという印象は、塑像が基になっていることからきていたのだろう。彼は立ち方に違和感を持ったようで、そのことに対して技法的な分析もしている。巨大な木製の仏像となると、全体の芯となる根幹材を立ててそこに細部のパーツを寄せるのが従来の制作方法としてある。しかし、善光寺のものは塑像で原型を制作しているので、背中の心棒を中心に体躯から形作り、脚は後になる。そのためにふわふわした立ち方になったのではと。寄木造による金剛力士像であるならば伝統的な技法のみで制作されていると思いがちではあるが、やはり明治になってから輸入された西洋彫刻の技術が接続しており、仏像もまた近代彫刻としての性質を内側に秘めていることを、改めて学ぶことになった。

ここでまた金剛證寺に戻ろう。確か境内のどこかに北園克衛の碑があったはずだと、歩きつつ探したのだが見つからなかった。帰ってから調べたら、記憶違いで橋本平八の顕彰碑だったことがわかり、しかも時間はあったのになぜか入り口を見ただけで足を向けなかった、奥の院へと続く道にあったようだ。橋本平八は北園克衛の五歳年上の兄で、木彫家だった。二人が生まれ育った朝熊村は、朝熊山信仰の登山道の入口にあたり、細い川と並んだ道沿いに民家が集まっている。現在でも商店の見当たらない静かな集落で、二人の生家から朝熊山へ続く道に目を向けると北園の句「隻腕の河童にあひぬ冬の月」が現実の光景だったのではないかと思えてくるような、人智を超えた領域と隣接している感じがする。北園によると伊勢神宮の神宮領で、夏は恐ろしく暑く、冬は寒い土地だが、村人たちは春から秋は農業をし、冬は山に入り、一年を通じて仕事が絶えないために経済的にも比較的豊かで、さらに幕府の封建支配体制に組み込まれていないために、均衡のとれた自治組織を築いていたという。この土地で橋本平八はロダンに影響を受けた彫刻家の荻原守衛の『彫刻真髄』を読み、地元の作家に師事して美術を志し、一九一九年、二二歳の年に上京。翌年に木彫家の佐藤朝山の内弟子となる。この時平八は猫の彫刻を制作するために、猫を解剖したという。この作品が入選し、日本美術院の研究所に入ることとなった。人体彫刻の制作においてその皮膚下の組成を知ることが正確な人体表現に結びつくという考えは、美術解剖学・芸用解剖学として明治時代に輸入され、現代でも美術教育の一つとして定着をしている。一八九一年に東京美術学校で森鴎外が講義を持ったのが嚆矢とされているので、大正時代にはすでに西洋彫刻を学ぶ基礎として位置づけられていたのだろうが、それを知ったとして実際に猫の骨格や筋肉の付き方を確認するだろうか。平八の修業とも奇行とも呼べるような行動はいくつかある。一週間や二週間の断食を度々行い、海で力尽きるまで遠泳をして溺れたところを友人に助けられたり、冬に川で泳いだりといった、自分の肉体の極限を確認するような逸話が残っている。作品を制作するからには、猫を解剖するように己の内側を知る必要があるとの考えからなのか。その平八は、一九二五年に帰郷し、結婚。一男三女をもうける。木彫作品を制作し東京を中心に各地での展覧会に出品し続けた。東京に留まり彫刻家として活動することを選択せず実家に帰ったのは、長男として家業を継ぐ必要もあったのだろうが、それよりも朝熊という土地で制作することに強い意義を見いだしていたと考えたい。それは、平八の作品が、明治以降に輸入された西欧のヒューマニズムを基に人間という存在を表現するというよりも、人間や動物の姿を借りて精神性や神秘性を強く表しているからで、これは都市の表現ではない。山と親和性の高い木という素材を選択したこともあるとは思うが、書き残した文章を読むと素材を表現の道具としてだけ扱うことはしない、独特な思索を展開させていたことがわかる。

　橋本平八は、一九三五年、脳溢血で急死する。三八歳だった。平八は自らの彫刻論を本にして刊行することを弟の北園克衛とともに計画をしていたが、生前は叶わなかった。その遺稿と日記をまとめたものが『純粋彫刻論』として、太平洋戦争中の一九四二年六月に刊行される。兄が亡くなれば、実家には兄の妻子が残され生活を続けなければならないのだが、次男となる北園克衛は家督を継ぐことをせず、さらには、おそらく平八の葬儀を除いて、生涯朝熊に帰ることはなかった。とはいえ、甥っ子姪っ子のことは気にかけ、東京から雑誌を送ったりはしているのだが、ここでは北園のその後には立ち入らない。

『純粋彫刻論』にある平八の言葉で特徴的なものとして「霊」と「仙」がある。平八によると霊は静で、動中静として水に置き換えられる。仙は動で、静中動として山となる。そして彫刻は山で、絵画は水という。さらに人はこの霊と仙の両方を持っていて、歩くことは動なのだがその精神は静、と続ける。平八の彫刻は、動きを表現するために均衡の危うさを見せることはない。エジプト美術に関心があったのも平八の資質によるものだろうが、その作品はぎごちなく固まっていることが多い。これは外形には現れない動の表現が創作の核心にあったと考えられる。この霊や仙への意識を持った平八の彫刻観が、円空仏を発見する。その円空仏について語る時、平八は新井奥邃を引用している。「奥邃先生の曰く「夫れ清心なる者神を見る如く、無欲なる者は美と遊ぶ可し」と」。

新井奥邃は、一八四六年、幕末期の仙台藩に生まれた。二〇歳の時に江戸に出、明治に入ってからキリスト教を学ぶために渡米。森有礼の導きでトマス・レイク・ハリスの新生同胞教団に入団した。ハリスはスウェーデンボルグ主義の宗教家、神秘主義者で、ニューヨークで原始共産制コミュニティを形成していた。やがて教団とともにカリフォルニアに移り、共同生活のなかでハリスの仕事を手伝い続ける。ハリスがニューヨークに戻った後も、新井奥邃はハリスの別荘に留まって、七年間を過ごす。そして渡米から二八年後の一八九九年、無一文で帰国した。篤志家の援助を受けて私塾「謙和舎」を創設し、住み込みの書生たちと共同生活を行い、亡くなるまで自らの思想を伝えた。新井奥邃は洗礼を受けたキリスト教徒ではなく、世田谷区内の浄土宗の寺に墓がある。教義もキリスト教と儒教が融和したものといわれている。この塾には田中正造や内村鑑三が出入りしていた。

橋本平八に新井奥邃を教えたのは、師の佐藤朝山だった。佐藤朝山は、福島県相馬市に生まれた。父親は宮彫師で、子どもの頃より彫刻に親しむ環境にあった。一七歳で上京し、展覧会で作品を観て感銘を受けた山崎朝雲に師事する。山崎朝雲は、先に名を挙げた米原雲海とともに高村光雲の高弟の一人だ。平八が内弟子だった期間に佐藤朝山はパリへ留学し、ブールデルに彫刻を学ぶ。その佐藤朝山の家から日本美術院研究所に通っている頃に、平八は新井奥邃の著作を書き写している。また、共に学んだ彫刻家の喜多武四郎から『奥邃広録』を送るという葉書が朝熊の家に届き、喜ぶとともに日記に次のように記した。「芸術は人格の表現に終始すること今日改めて論ずる余地なし。されば芸術的精進は要するに人格徹底に終る。夫れ芸術家たるものよろしく正観通達して貴賤を脱して自然たる可きである」。また別の日には、芸術は神秘すなわち美、と書き、ただその神秘と美は、哲学によって法則を学んではじめて表現できるものであって、感性で生むことは不可能だと続けている。

新井奥邃に私淑した彫刻家として、平八が上京前にその本を読んでいた荻原守衛がいる。荻原守衛は一八九九年、二〇歳の年に長野より上京。明治女学校の構内の小屋で自炊をしつつ、画塾で絵画を学んでいた。その明治女学校でアメリカより帰国した新井奥邃が論語とキリスト教を講義する。元よりキリスト教に関心のあった荻原守衛は新井奥邃の思想に傾倒していった。二年後、荻原守衛は美術を学ぶためにニューヨークへと渡った。アメリカで荻原守衛は画家の柳敬助と彫刻家で高村光雲の息子の高村光太郎に出会い、新井奥邃の思想を伝える。柳敬助は帰国後、新井奥邃の門に入った。また、荻原守衛急逝後も柳敬助と高村光太郎の親交は続き、柳が新井奥邃の本を光太郎に贈り、光太郎は繰り返し読み返したという。

このような新井奥邃の関わりを見ていくと、日本の近代彫刻の始まりには、油粘土による塑像法という新たな造形方法からくる表現の変化に加えて、新井奥邃を通じた神秘主義を加味したキリスト教と儒教が混交した思想が、芸術という概念の形成の裏に、細く流れていたといえよう。

さて、朝熊山からずいぶんと離れてしまったが、もう少し新井奥邃と彫刻の密かな関わりについて話しを続ける。

カリフォルニアで共同生活をしている新井奥邃を訪ねた日本人がいた。詩人の野口米次郎だ。野口米次郎は一八九三年にカリフォルニアに渡り、現地で英詩集を刊行し文学者たちと交流を持つなか、トマス・レイク・ハリスの影響を受けていたアメリカの詩人エドウィン・マーカムと出会ったそのマーカムの勧めで、野口は新井奥邃に会いにいった。二人きりで長く話したという。その二年後に新井奥邃は帰国することになる。野口はアメリカで活動を続け、日本の文学雑誌に詩を送ったりもしている。カリフォルニアを離れ、ニューヨークで移り、ここでレオニー・ギルモアと出会う。この二人の間に生まれたのが、彫刻家のイサム・ノグチだ。野口米次郎は一九〇四年に帰国。その三年後、レオニーと三歳になろうとするイサムは、父がいる日本の地を踏んだが、野口米次郎と暮らすことはかなわなかった。数年おきに転居を繰り返す暮らしが続き、イサムが一三歳になった時、レオニーは彼を単身でアメリカに送ることを決意する。イサムは、アメリカ人の母に生まれた子は日本では生きにくいので、アメリカで学ばせて完全なアメリカ人にしようとしたのだろうと回想している。アメリカでの後見人となるエドワード・ラムリーが創設したインディアナ州の学校に通うこととなるのだが、下宿先としてラムリーが選んだのは、スウェーデンボルグ主義の牧師の家だった。イサムは父の野口米次郎から直接にはスウェーデンボルグ主義の思想について教育を受けることはなかったが、本人が意図しないところで、幼少期の日本での生活に神秘主義的なキリスト教が積み重なることとなった。

この後、イサム・ノグチは彫刻家となりニューヨークを中心にしつつ世界各地で作品を発表するのだが、イサムにとって故郷というものは存在しなかったといえるだろう。生誕地はロサンゼルスだが、愛着を持つ前に離れてしまう。多感な時期を育ったのは日本だが、この国に生活の根を生やすことはできなかった。やがて、母レオニーも日本で生まれた妹のアイレスも日本を離れ、アメリカに戻る。イサムは後年、ニューヨークのアトリエ、イタリアのカッラーラの工房、日本の香川県牟礼のアトリエと三カ所の拠点を持ち、移動をしながら制作を続ける生活を送った。この生涯にわたる長い旅のなかで、日本という土地で、障子にインスピレーションを得た彫刻としての照明器具や、自然石の一部分に少しだけ手を加えただけのような抽象彫刻作品が生み出されていく。第二次世界大戦後のアメリカを代表する彫刻家となるイサム・ノグチだが、そのキャリアの早い時期から、公園のような土地と遊具的な彫刻作品とが一体となった場を作ることを試みていた。大きさがどうであれ、アトリエで制作され、移動可能で、売買され、どこの場所に設置されても作品として表現が機能する近代彫刻とは、その成立から異なるものだ。また、一九七〇年代以降に定着する、ある空間の特性を読み込み、その空間が持つ力を利用し表現を成立させようとするインスタレーションという形式でもない。自らの彫刻作品と場所とを同一化させようというものだった。アメリカでいくつか計画が進行し、しかしさまざまな理由で実現しなかったのだが、最晩年になって遂に実現する。それが札幌市にあるモエレ沼公園だ。イサム・ノグチが札幌市から公園の設計の依頼を受けたのは、一九八八年だった。いくつかの候補地を視察して、ノグチは一九七〇年代より不燃ごみの処理場として使われていたモエレ沼を選択する。多くの人々の生活に不可欠なごみの処理場は、すべての人のためにあるとともに、その存在には目を塞ぎたくなる、誰のものでもない場所といえるだろう。大きく蛇行する川に囲まれたこの土地――といっても土地が本来もっているはずの歴史を現代生活の残滓が覆いつくし堆積している――のうえに公園＝彫刻作品を出現させる基本構想を練りあげ、模型を作り、計画が動き始めたその年の小晦日にノグチは亡くなった。ノグチの死後も、ノグチの協力者たちによって計画は続行され、一九九八年に第一次オープン、二〇〇五年にグランドオープンを迎えた。この公園という公共物と、巨大な彫刻という表現者の自我の表出との境界を、その大きさによってさらに曖昧なものとしていく場に、ノグチは山を築いている。彫刻としてだけの山ではない。二〇〇四年に標高五〇メートルを超えたことで、国土地理院の電子版地形図に載ることとなり、地理上の山としてある。山という言葉を聞いた時、地形図で認識した時、多くの人はそれを造形物とは思わないだろう。モエレ沼と公園の歴史を知らなければ、元々そのような形の土地だったとしか考えず、山の成り立ちに気を向けることすらしないかもしれないし、時を経るとともにそのような人が増えていくに違いない。自分を所属させる土地というものを持つことができなかったノグチが、それでもどこかの土地に、心情的にではなく宿命的に自己を一体化させるということを考えていたとするならば、ノグチの死後にノグチの存在を含めた歴史が始まったこの山が相応しいと思える。

さて、橋本平八の言葉にあった「彫刻は山」が、ノグチにおいて文字通り実現することになったわけだが、これを単なる言葉遊びで終わらせたくはない。山の造形ではノグチの大に対して小、素材では土と石に対して木と、対応関係を見いだせるものとして、橋本平八の作品《石に就て》を挙げたい。

《石に就て》は、朝熊に帰った後の一九二八年に制作された、高さ二八センチメートルあまり、幅と奥行きは一九センチメートルほどの、小型の木彫作品だ。一辺一九センチメートル程度のほぼ立方体の木塊のうえに、おにぎりのような形が掘り出されている。このおにぎりにはモデルがあり、それは平八が拾った石だった。平八は自然石を模刻したといえるのだが、そうと言い切れるものでもない。木によって石を表現するということは、当時の彫刻表現からすると異例のことで、弟の北園克衛が前衛的な詩人だったことから、シュルレアリスムのオブジェの概念を取り入れたものだと解釈されたこともあったが、そのような時代潮流に収まるとも考えにくい。直方体の木材を掘り進め、台座上の下部と彫り出した上部とを切り離さずにいるために、材としての木と、表現としての石に境がない。かといって一つのものには見えない。木片から幻影としての石を浮かび上がらせたといったほうが、納得がいく。では、モデルとなった石はどういったものなのか。この作品の制作後ではあるが平八は日記に、石でありながら石を解脱して生命を持つ石が芸術的観念に働きかけてくると記している。人間にとって不思議な姿を持つ石があるとも。さらに彫刻の法則として「石が山地水源地から切磋琢磨されて石本来の姿に蘇る。それは石になるばかりではなくて石本来の姿勢即ちその原質的な姿その山その石に生命が蘇る。生きた石になる」という。そして、であるならば彫刻は人間の姿だけではなく、人間精神の蘇りでなくてはならないと続ける。《石に就て》のモデルとなった石の背面には、南無阿弥陀仏と墨で書かれている。石に山を見たのだろう。石の造形に峰や谷を読むこともできるが、形象は入口にしか過ぎない。そして彫刻と仙と山と一連なりとしてある平八にとって、生きた石は朝熊山の分身でもあったに違いない。平八はその後、別の石を基に牛を彫ってはいるが、この仕事はその早すぎる死のために、その後に可能性を持つ傍流となってしまっている。亡くなる前年、平八は長女をモデルに、食事を前にいただきますと手を合わせようとする童女の姿を彫った。その両の手のひらは触れ合う直前で、わずかに隙間が空いている。その空間は何ものかが流れる通路としてある。静中動がここにある。

PP.104-105▽二見ヶ浦の商店に飾られていた夫婦岩の古写真（三重県伊勢市）｜PP.108-109▽小さな集落にある上之郷の石神（三重県志摩市）
P.112▽上：多気町五佐奈の埋墓（三重県多気町）、下：伊勢神宮を流れる五十鈴川上流の高麗広集落（三重県伊勢市）
P.113▽上：山岳信仰の対象である朝熊山（三重県伊勢市、鳥羽市）、下：高麗広を流れる五十鈴川（三重県伊勢市）｜PP.116-117▽多気町佐奈の里山（三重県多気町）
P.120▽上：伊勢湾に注ぐ夜の宮川河口（三重県伊勢市）、下：近長谷寺十一面観音の足（三重県多気町）｜P.121▽近長谷寺十一面観音（三重県多気町）
PP.124-125▽樹齢六〇〇年ほどの大楠（三重県多気町）｜P.128▽丹生大師の近くのコンクリ仏（三重県多気町）｜P.129▽近長谷寺参道（三重県多気町）

石山修武
Osamu Ishiyama

一九四四年生まれ。建築家。
早稲田大学理工学部建築学科卒業、同大学院修了。早稲田大学理工学部名誉教授。
一九八五年「伊豆の長八美術館」で第一〇回吉田五十八賞、一九九五年「リアス・アーク美術館」で日本建築学会賞、一九九六年「ヴェネチア・ビエンナーレ建築展」で金獅子賞ほか受賞。主な作品に「幻庵」、「世田谷村」、「ひろしまハウス」など。主な著書に『笑う住宅』（筑摩書房）、『住宅道楽』（講談社）、『生きのびるための建築』（NTT出版）ほか。中里和人との共著に『セルフビルドの世界』（筑摩書房）がある。

中里和人
Katsuhito Nakazato

1956年生まれ。写真家。
法政大学文学部地理学科卒業。
東京造形大学名誉教授。
主な写真集に
『小屋の肖像』（メディアファクトリー）、
『キリコの街』（ワイズ出版）、
『路地』（清流出版）、『東京』（木土水）、
『ULTRA』（日本カメラ社）、
『Night in Earth』、『URASHIMA』（蒼穹舎）
ほか。

野田尚稔
Naotoshi Noda

1971年生まれ。美術館学芸員。
多摩美術大学大学院絵画専攻芸術学専攻修了。
現在、世田谷美術館に勤務。
主な担当展覧会に
「建築がみる夢——石山修武と12の物語」、
「榮久庵憲司とGKの世界」、「ブルーノ・ムナーリ」、
「宮城壮太郎展」
など。

原視紀行——地相と浄土と女たち

2023年1月21日　第1刷発行

著者……石山修武
写真……中里和人
解説……野田尚稔
発行者……後藤亨真
発行所……コトニ社
〒274-0824　千葉県船橋市前原東5-45-1-518
TEL：090-7518-8826　FAX：043-330-4933　https://www.kotonisha.com

印刷・製本……図書印刷
ブックデザイン……宗利淳一

ISBN978-4-910108-09-4